酒蔵の微生物が教えてくれた
人間の生き方

発酵道
はっこうどう

「寺田本家」二三代目当主
寺田啓佐

酒米を蒸したら、麻布の上に広げてさます。
微生物が活躍しやすい温度は、人肌くらい。
冷却器を使うところが多いが、『寺田本家』
では、蔵人たちが手を真っ赤にして広げ、
蔵の中で自然にさます。

寺田本家

はじめに
微生物から、生き方を学ぶ

子どもの頃から、

「どうして争いがなくならないのだろうか」

「争わなくても、生きていくことができないものだろうか」

と思ってきた。学生時代には、平和運動や学園闘争にも参加したが、戦争に反対するセクト同士までもが対立し、争ってしまう現実に愕然とした。

どうしてだろう。なぜだろう。人と人が争うことが、不思議でならなかった。

「こんなひどい世の中になろうとは、想像もつかなかった」

近所に住む老人が嘆《なげ》く。

テレビは毎日のように凶悪事件を報じ、いじめや暴力、恐喝《きょうかつ》は、日本中どこででも起こっている。見ず知らずの人への無差別殺人も、あとをたたない。家庭の根幹をなす親子関係も壊れ、親殺し、子殺しへとエスカレートしてきた。世界中、紛争や飢餓、貧困、病気はやむことがない。自然破壊、環境汚染も加速度的に進んでいる。

老人が言うように、不幸がどんどん広がっている。

広がっている不幸は、世界などという外の話ではなかった。私自身、身から出たさびで体を壊し、会社を倒産寸前にしてしまった。

どうしてだろう。なぜだろうとふたたび思うようになった。

何か大切なものを見落とし、間違った方向に進んできたのではないだろうか。そう考えたとき、発酵醸造《はっこうじょうぞう》を生業《なりわい》とする私自身の世界を見つめた。発酵醸造という微生物の世界。その世界は、互いに支え合って生きる、相互扶助《ふじょ》の力が大きく作用している。微生物の世界は、「愛と調和」で成り立っていた。それを見て、「人間も微生物のように、発酵しながら生きれば、争わなくても生かされる」ことを確信した。

目に見えない小さな生き物である微生物が、自然を学ぶうえで大きな手がかりとなった。微生物の世界は、生き物の世界。生き物の世界は、自然界。そもそも自然というものは、なんだろう。自然の仕組み、働き、力は、どうなっているのだろう。自然界には法則がある。その法則をきわめようとした近代科学は、逆に自然界そのものから離れていったのではないのか。自然から遠ざかれば遠ざかるほど、不幸や病に近づくことになったのではないか。

その学びを進めるうちに、「発酵」と「腐敗」という二つのファクターが、すべての物事を考えるものさしとなり、自分自身が生きるうえでの指針にもなっていった。やっと見つかった。うれしかった。論語の「朝《あした》に道を聞かば、夕べに死すとも可なり」の心境だ。涙が止まらなかった。

混迷する世を救い、人として進むべき道を明らかにしてくれる鍵が、微生物の暮らし方のなかには、いっぱい隠されていた。人類が本当の平和、健康、幸福を達成する方法も、そこにあるのではないかと思う。

即席の酒造りをやめて自然酒造りに転向し、発芽玄米酒を製造する過程で、目に見えない生命、微生物に出会った。

彼らから学んだたくさんのことを、ここに記そうと思う。微生物の生き方が、この本を手にしてくれた方々のお役に立つことを願って。

目次

はじめに　微生物から、生き方を学ぶ　1

第1話　蔵元に婿入りしたものの　10
許嫁は、造り酒屋の跡取り娘　10
三回あった結婚式　12
日本酒業界、低迷の時代に　16
儲ける会社に自分がしてやる　18
利益が安定する「桶売り」　20
二日酔いになる甘くべとべとした日本酒　22
国ぐるみの儲け体制　24
会社は利益を追求するところである　26

第2話　何をやってもうまくいかない　28
売れないのは自分のせいではない　28
まずい日本酒造りがやめられない　30
多種多様の酒造りを試してみるが　34
居酒屋やそば屋にもトライ　39
自分だけががんばっている　41

第3話　どん底で見えてきたこと　44
腸が腐って、壮絶手術　44

自然の法則のなかで醸し出された日本酒 47
発酵か腐敗かの選択 50

第4話 本物の酒を造ろう 56
今までの酒造りをやめなければ 56
あなたのお酒はお役に立ちますか 60
喜ばれる酒、「百薬の長」を造ろう 63

第5話 微生物って、スゴイ! 66
自然酒『五人娘』の誕生 66
力強い発酵で、生命力のある酒を造る 68
蔵に棲みつく微生物が酒を造る 78

第6話 微生物が持ち味を発揮するのは? 88
無農薬無添加の酒が受け入れられない 88
酒作りの立て役者は、たくさんの微生物 91
微生物の働きは「エサ」と「棲み家」で決まる 94

第7話 生命ある食べ物をいただく 98
運命的なマクロビオティックとの出逢い 98
食の乱れは病気や不幸をもたらす 100
日本の伝統食と「菌食」のすすめ 105

第8話 微生物をお手本にして……110
競争をしない、儲けない商売に――110
微生物たちは「自分好き」――112
微生物の世界は、仲よしの世界――116

第9話 発酵場は、癒しの場……120
炭、水、空気を活用する「電子技法」――120
備長炭を敷地に埋め、電子水を酒に使う――123
古代の文献が、発酵に適した場を作る鍵だった――127

第10話 自分をなくす心のあり方……132
人の下に自分を置く祈り――132
何ももたない暮らしで得られるもの――138
持てるものはすべて吐き出す酒屋になる――141

第11話 古き叡智との運命的な出会い……144
驚異の玄米食体験、そして酒米への疑問――144
どうしたら玄米を酒にできるか――148
伊勢神宮の古代酒の資料にヒントを得る――151

第12話 微生物が快い方向を示してくれる……154
発芽玄米酒への取り組み――154

微生物から、私たちが学ぶ「快法則」――161
生命のおもむく方向に、自然に、素直に――165
第13話 微生物が「清潔の弊害」を教えてくれた……168
発芽玄米酒『むすひ』発売――168
菌は汚いもの？――173
減菌思想の危険性――178
第14話 発芽玄米酒が大反響を呼ぶ……182
発酵に注目する医師との出会い――182
発芽玄米酒で、糖尿病が快方に？――184
血圧が下がった。便秘が治った。――187
第15話 自然に還ることが、社会の腐敗を止める……192
従来の製品にも、自然造りの見直しを――192
無濾過の酒には、日本酒本来の姿がある――196
腐敗した社会を発酵の場へ――198
第16話 社会も家庭も、腸内環境と同じ……202
現代に甦る、寺仕込みの「どぶろく」――202
家庭で造る「どぶろく」の復活を願う――205
「よくなるために、悪くなる」の法則――212

第17話　みんなが豊かになる……216
発酵をテーマに町おこし――216
幸福の秘訣は発酵にあり――218
発酵場の選択こそ宇宙の繁栄道――221

第18話　発酵していくと幸せになる……224
男性は腐敗場に身を置くことが多い――224
御酒ひびき＝うれしき・楽しき・ありがたき――227
御酒ひびきは、発酵場の選択のヒント――233

第19話　これからは、いきいきわくわく……244
微生物から学んだことを伝えたい――244
二一世紀は病気から解放されて、みんな幸せ――247
何があっても「笑っちゃう」。どんなときでも「ありがとう」――250

おわりに　「だまされろ」にだまされて――254

日本酒の分類／36　日本酒のラベル用語早わかり表／37　速醸造りの日本酒ができるまで／82
生酛造りの『五人娘』ができるまで／84　発芽玄米酒『むすひ』ができるまで／156

発酵道

酒蔵の微生物が教えてくれた人間の生き方

第1話 蔵元に婿入りしたものの

許嫁《いいなずけ》は、造り酒屋の跡取り娘

「うちの甘ったれ、ねしょんべんたれの末っ子に、『寺田本家』の旦那なんて、やっていけるだろうか」

昭和四九（一九七四）年四月、造《つく》り酒屋『寺田本家』の長女である雅代《まさよ》との結婚式にあたって、亡き母が最後まで心配していた言葉である。

ねしょんべんたれはともかく、甘ったれの末っ子には相違なく、教育者になろうと志して青山学院大学に入学したものの、人前で話すのが大の苦手。赤面恐怖症などというレベルではない対人恐怖症だったから、「これはどう見たって先生にはなれない」と、長年の夢は早々と断念せざるをえなかった。ちょうど全国に吹き荒れた学園紛争のただ中で、ご多分にもれず学生運動にも参加。そのうち学校にも行きづらくなり、中退して、家でぶらぶらする生活になっていった。まさに、今でいうニートだ。働くでもなく、勉強するでもなく、職業訓練を受けるでもなく……。

働きだしたのは、二三歳になってからである。父親が経営する電化製品の販売会社に就職し、それからは営業一筋、売ることにやっきになって日々を過ごすことになった。教育者というよりは、やはり商人の息子だったと自覚せざるをえないくらいその仕事は私に向いていた。

なんとか仕事も覚え、電化製品の営業マンとしてこれからというときに、父親がずっと以前から考えていた結婚話をもってきたのである。

当時、親の決めた許嫁と結婚する人間などめずらしくなっていたにもかかわらず、表向き「添《そ》ってみよう」などと言って婿入りを決めた自分は、弱冠二五歳であった。でも本当は、長いものに巻かれるのが得意な若者だったような気がする。このあたりにも、母が心配した甘ったれの末っ子の片鱗《へんりん》があるのかもしれない。

なぜ父が、私の結婚相手を『寺田本家』の娘に決めたかといえば、実は父はもともとこの蔵の出身だったからである。父は、小学校を卒業するとすぐ、神崎町《こうざきまち》の『寺田本家』に小僧として入り、一〇代で独立して酒屋を始めたのだった。根っからの商売人で酒屋業もトントン拍子にうまくいき、その後は次から次へと商売替えをして、私が小学校一年のとき、東京に移住したのだ。

たまたま戦後の高度経済成長期に家電の販売業がヒットし、ひとかどの実業家となって、昔の恩返しに、『寺田本家』を援助することとなった。当時の蔵を支えるという関係になったのだ。ところが、その『寺田本家』は、なぜか代々女系なのである。調べきれないくらい昔から、跡取りの男子が生まれない、婿取りによって受け継がれてきた蔵元であった。その縁で、たまたま私と妻は許嫁になったわけである。

三回あった結婚式

母の心配は、私が単に甘ったれの末っ子というだけではなかった。江戸時代の延《えん》宝《ぽう》年間（一六七三〜八一年）に創業、以来三〇〇年におよぶ老舗《しにせ》の造り酒屋『寺田本家』の旦那になるべき男の結婚式は、なんと三回行われたのである。

一回目の結婚式は、香取《かとり》神宮でとり行われた。香取神宮は普通の神社ではない。平安時代の『延喜式《えんぎしき》』に書かれている三大神宮の一つ、伊勢神宮に並ぶ由緒正しき神宮である。ここで親戚や主だった関係の人たちを呼んでの、盛大な式と披露宴が行われた。そして次の週には、取引業者が出席する二回目の披露宴があった。こちらは完全に業界向けのものだ。

そして、ハネムーンから帰ってきたと思ったら、三回目が待っていた。酒蔵のすぐ裏にある神崎神社で改めて式を挙げ、今度は近所の人たちを招いての披露宴である。

「なんだか、大変なところに来てしまったようだ」

ようやく東京育ちののんきな学生上がりの私も、三〇〇年の伝統ある造り酒屋の「旦那」になるというのがどういうことなのか、気づかないわけにはいかなかったのである。

「添ってみよう」などという気楽なものではなかった。もうあとに引くことのできない、れっきとした寺田本家二三代目が、自分であった。

商売はわかるが、酒は生まれつき飲めない。当然酒造りなど、これっぽっちもわからない。

けれども、よく聞いてみると、どうやら婿に入った歴代当主も、銀行家やら文化人、教育者、町長といったおよそ酒蔵に似合わないような人物ばかりのようだ。

「それなら、なんとかなるだろう」

紋付きのひもを締めながら、ふたたびのんきな私を取り戻してそうつぶやいたものだ。

寺田本家玄関

日本酒業界、低迷の時代に

かつて千葉県には、千軒以上の造り酒屋があったという。『寺田本家』もそのひとつであった。

同県のなかでも、『寺田本家』のある香取郡には、昔から多くの蔵が集中していた。下総《しもうさ》の国一の宮の香取神宮や『寺田本家』の裏手の神崎神社の森の恵みで、この地には酒造りに適した水がふんだんにわいている。なにより豊穣な稲作地域だ。いい米がある。いい水がある。それが商売として成立するにはあとは流通だが、そこに利根川の水路があった。

この利根川からの水を含んだ空気が、九十九里からの浜風とともに適度な湿気を作り、筑波颪《おろし》の山風も手伝って、一年中冷涼な地にしている。発酵醸造にとって最適な環境であったために、酒やしょうゆの醸造蔵《じょうぞうぐら》が軒を連ね、活気のある時代があった。

明治政府が国の財源の柱に酒税をかかげたために、江戸時代から続いた「酒造株」という酒造りの特権を廃止し、免許鑑札制の自由化に切り替えた。そのおかげで造り酒屋が日本中に次々と作られ、約一万六〇〇〇軒もの造り酒屋が生まれていったのだ。

酒蔵の一部が有形文化財に指定されている。

『寺田本家』の創業は一六七三年というから、四代将軍家綱の時代である。結婚式を挙げた神崎神社には、水戸黄門が「この木はなんというもんじゃろうか」と首をかしげたという「なんじゃもんじゃの木」という古木があるが、その頃の創業になる。

そのくらい古くから生き延びてきた伝統ある酒蔵だから、ちょっとやそっとでぐらつくはずがない。戦後も、一九六〇年代にはテレビＣＭと級別制（後述）であおられた〝大手銘柄ブーム〟が起こり、日本酒といえばだれでも知っているブランドを中心に、元気のいい時代が続いた。

けれど、そうした酒造業界の繁栄

も、昭和四十八（一九七三）年がピークだったのである。私が、『寺田本家』の跡取りとして婿入りした四十九年は、創業三〇一年目にあたっていたのだが、まさに日本酒が売れなくなりはじめたその年だった。

電化製品業界というまったく酒とは関係のないところにいた私は、そんなことに気づきようもなかった。

儲ける会社に自分がしてやる

婿に入った当時の社長は、妻の父親であった。元高校の教師で、商売のことはまったくわからない。社長業のかたわら千葉県の教育委員長をやっていて、造り酒屋の仕事は好きでなかったのか、ほとんど働いているようには見えなかった。

そんな義父にとって、現代的な商売を覚えてきた私の存在はまさに渡りに舟だったのだろう。いきなり仕事全般を蔵元経験のない私にまかせて、さっさと出かけてしまう毎日となった。

それはそれで、いっこうにかまわなかった。酒のことはわからなくとも、商売はわかっていると思っていたからだ。商品が電化製品であろうが酒であろうが、商売は、仕入れ価格と売り上げの差が利益になる。原価管理をきちんとして、商品を在庫なしに売り尽くせば利益は自然に上がる。むずかしいことではない。

おまけに、古い体質の業種である。近代経営とかけ離れた昔ながらの商売をしていては、時代に取り残される。私にできることは、たくさんあるように思った。

「原料の仕入れ価格は適正か」

「生産性は確保されているか」

「不要な人件費はないか」

「販売は維持されているか」

「不要な経費が使われていないか」

「在庫は適正に管理されているか」

「製造過程にロスはないか」

高度経済成長の坂を駆け上がっていた時代、経営学は花盛りで、そういう技術を駆使すれば会社の利益はたちまち上がるはずだ。私は、張り切って経営をチェックしていった。

しかし、現実はそう甘くなかった。酒造の現場では、自分より一回りも年上の人たちがすでに力をもって仕事をしている。私が何を言おうと、「ボンボンが来て、何がわかるんだ？」と、社員たちのどの顔にも書いてあった。驚いたのは、八時の始業時間に来る社員などほとんどいないというあきれた実態だった。「農業しながら、片手間に仕事をしに来てやっているんだ」と言わんばかりの社員の態度である。なめられてたまるか、頭にかっと血が上っていく。

利益が安定する「桶売り」

造り酒屋の仕事は、製造・販売、それからお金の計算なのだが、これに酒税の算出が加わるからけっこう面倒だ。税務署に申告したり、製品を納期までに納めなければならないというのも気をつかう。これら造り酒屋特有の税務関係の仕事は、今ならコンピューターがやってくれるが、その頃はすべて手仕事である。

こうした税務にかかわらなければ、仕事は簡単になる。そこで、面倒をなくすために、大手メーカーに売り渡す「桶売り《おけう》」というものをしていた。これはわかりやすかった。造った原酒（搾りたての、水を加えていないもの）をそっくり大手メーカーにタンクごと売り渡してしまうのである。桶売りには税金がかからない。酒税は大手メーカーが払う。したがって当方は利益が確保しやすい。リスクはなかった。

当時の『寺田本家』は、「桶売り」という仕事をもっぱらにしていた。

酒は許可なしに造れない。今でこそ大手は大きな工場で酒を製造することができるが、その頃は認可を受けた蔵ごとに国から指定された製造枠があって、大手メーカーといえども、一か所で大量に酒を造ることは許されていなかったのだ。

だから、有名大手メーカーは、うちのような小さな蔵から原酒をかき集め、それを加工して自分のところのブランドで販売していたというのが有名ブランドのからくりである。それがうちの仕事全体の六割にもなっていた。古くからの誇りある社員は、「桶売り」などというものは、伝統ある酒造のすることではない、「桶売り」ではなく「身売り」だとののしったが、私にとってそんなことは関係なかった。

その頃世の中で日本酒といえば、大関（西宮市）、菊正宗（神戸市東灘区）、黄桜（京都市伏見区）、月桂冠（京都伏見）、沢の鶴（神戸市灘区）、宝酒造（ブランド名「松竹梅」京都市伏見区）、小西酒造（「白雪」伊丹市）、日本盛（西宮市）、辰馬本家酒造（「白鹿」西宮市）、白鶴（神戸市東灘区）といった大手メーカーが全盛を極めていた。テレビに、こうした日本酒のコマーシャルが流れていない日はなかった。

このなかの黄桜酒造が、きちんと『寺田本家』の酒を「桶買い」してくれていた。経営上、どこにも問題はなかった。

二日酔いになる甘くべとべとした日本酒

桶売りできる酒が多ければ多いほど利益は上がり、経営は安定する。

原価を安く、しかも大量に酒を造る方法があった。それが、「アルコール添加《てんか》」と「三倍増醸清酒《さんばいぞうじょうせいしゅ》」というものである。略して「アル添《てん》」「三増酒《さんぞうしゅ》」と呼ばれる。

当時居酒屋で普通に日本酒を注文すれば、甘みのあるべとべととした酒が出てきたことを記憶している人は多いだろう。うまいまずいなんてものじゃない。ただ酔うためだけの酒といってもいい。

それが、「桶売り」された酒が、有名ブランドの名をつけて消費者の前に現れてきたときの姿だった。大手メーカーが、桶買いしたさまざまな酒をブレンドして、有名ブランドに作りかえていたが中身は変わらない。大量生産を本分とするメーカーは、さらにできるだけたくさんの酒を造るように技術を駆使して仕立て直す。そのやり方は、なにも新しいやり方ではない。

もともと、日本酒の原材料は、米と米麹と水だけである。戦前までは、このシンプルな材料で日本酒が造られていた。今でいう「純米酒」だ。

事情が変わったのは、戦時中のこと。米不足のために、思うように酒が造れなくなったので、量を増やす目的で添加されたのが「アルコール」である。これが「アル添」と呼ばれる方法だ。

今でも日本酒のビンのラベルに「原材料名：米、米麹、醸造アルコール」と表示されていれば、「アル添」の酒ということになる。添加できるアルコールの量は、白米一トンあたり二八〇リットルと酒税法で定められているが、今でも、一トンあたり一二〇リットル以下のアルコール使用なら、「本醸造」や「本造り」と表示していいことになっている。

戦争中の米不足から、非常手段で始められたこのアル添酒が、戦後になってさらに進化（？）した。アルコールと水で増やした酒は、薄辛くなってしまうので、味の調整が必要になってきたのである。そこで、ブドウ糖や水飴などの醸造用糖類、それにコハク酸（味をやわらげるのが特徴の、果実酸の一種）などの食品添加物や、グルタミン酸ソーダ（うま味調味料）なども加え、甘みや酸味、うま味を整えるようになったのだ。

こういう添加物を使うと、なんと元の三倍量の酒ができる。だから「三増酒」という。コストは安いし、量産も苦労しない。一度やり方を知ってしまったら、もうやめられない、酒造メーカーにとってはまさに「おいしい酒」なのだ。戦後、「清酒」といわれていたもののほとんどがこれである。

この酒がテーブルにこぼれると、べとべとするのである。添加物の甘味料のせいだ。べとべとするだけではない。これを飲み過ぎると、翌日になって気持ちが悪くなる。日本酒は二日酔いしやすいといわれたのは、事実ではなく、添加物による悪酔いだったのである。

国ぐるみの儲け体制

「アル添」は国が日本酒と認めている。「三増酒」も日本酒として放置している。なぜか。酒税を確保できるからなのだ。明治以来、酒造業界は、酒税によって大きく国に貢献してきた。大手メーカーがお酒を売れば売るほど、酒税が国に入り国庫を豊かにする。したがって国も、酒造業界の繁栄に協力していた。

「級別審査」などという、おかしなものがこの業界にはあったのも国家による販売促進政策だった。国税局の酒類審議会が、日本酒を品質が優良な「特級」、佳良な「一級」、その二つに該当しない「二級」と分類していたのである。税収増加をもくろんで作られた巧妙な仕組みだった。

できた時点で酒は、すべて二級酒ということにする。それを「一級でよろしいですか」「特級でよろしいですか」とお伺いを立てると、役人が味見して、「まあいいでしょう」ということで、一級になったり特級になったりする。なんの根拠もない、すべてベロの感覚で決めてしまうのだからすごい。いわゆるベロメーターだ。

「一級」「特級」とランクを高くつけられた酒は、高い値段をつけることができる。したがって、酒税も高くなる。酒は、びんに詰めて商品にし、出荷したところで税金を払う仕組みだから、高い税金を払える都市型の大手メーカーは、消費者にいい酒だと思ってもらうために、わざわざ審査を受けて「特級」の称号を得る。けれど高い税金を払えない地方の蔵元などは、はじめから審査にかけることをしない。審査にかけなければ、どんなにうまい酒でも「二級酒」だ。

消費者は、「特級」「一級」がいい酒だと信じている。高いお金を払ってでもこれを買う。地方では都会ほど「特級」の需要がないこともその要因なのだが、ともかく大手メーカーがこの制度を最大限に活用して売り上げを伸ばし、税金を払った。

なんとあきれた制度かと感じていたが、たとえあいまいでもランクづけで売り上げが伸びるなら、まあいいんじゃないかと当時は思っていた。

さすがにこの制度の矛盾を指摘する声が大きくなって、平成元年になってようやく級別審査はなくなった。それは英国のサッチャー首相の鋭い指摘にあい、結局GATT（関税および貿易に関する一般協定）の裁定という、外圧によって廃止されたのである。業界内部からの自主的な動きでないあたり、いかにもといった感がある。

会社は利益を追求するところである

たとえおかしな級別審査であれ、不自然な物を加えた酒であれ、見えているのは売り上げの数字だけなのだから、おかしかろうがおかまいなしだ。

都会で家電商品をガンガン販売し、勝つことを目標に死にものぐるいで仕事をしてきた人間にしてみれば、「食品添加物に、何か問題あるの？　安全性？　だって、国が認可しているんでしょう？　添加物なしのお酒なんて、どこの酒屋だって望んでいませんよ」

「級別審査？　それで売り上げが伸びればいいではないか」

たしかなことは、売れているということだ。売れているものは、消費者が望んでいるのだから、問題はないのである。

「俺は商人の子だ。経営センスや経営能力だって、手腕だってある」

「商売は素人じゃないんだ。アマチュアなんかと、わけが違う」

江戸時代から続いた『寺田本家』だろうが、現在の企業社会で闘っていかなければならない。「本物の酒」などという甘い考えでは、生き残ることはできない。

何よりも利益を最優先するのが会社というところ。頭の中は、絶えず「いかに儲けるか」「いかに売り上げを伸ばすか」「いかにコストを削減するか」と、そんなことばかりだ。酒の質や味よりも、効率のよさ、生産性の高さのほうが最優先されているのだった。

造り酒屋の経済を左右する二本柱は、人件費と原料の米代で、この二つが抑えられれば、粗利《あらり》（売上高から売上原価を差し引いた額）が稼げる。だから、徹底的に原価と人件費を抑えた。

どんな方法を使ってでも、『寺田本家』を守らなければならない。勝たなければ。自分がやるしかない。がんばるしかないのだ。そう思わずにはいられない現実が、大きな漬物石のように私の背中にドーンとのしかかっていた。

第2話
何をやってもうまくいかない

売れないのは自分のせいではない

利益を確保できた「桶売《おけう》り」の注文が落ちたのは婿入りした翌年の昭和五〇年からだった。

自分のせいではない。それは、大手メーカーの売り上げが落ちていったことに起因するものであり、消費者の日本酒離れが始まっていたのである。

テレビをつければ、しゃれた洋酒のコマーシャルがあり、ビールメーカーの元気な画像が飛び込んでくる。若者は、景気のいい飲み口のビールやウィスキーに走る。大阪万博で世界の料理とともに紹介されたワインも、愛飲者を徐々に増やしていった。洋酒はかっこいいが、日本酒では田舎っぽい。二日酔いになる酔っ払いオヤジのイメージだった。日本酒の人気は落ちる一方で、あれよあれよという間に酒造業界はぬかるみにはまったような構造不況業種になっていった。

売り上げに対して、原価の比率も上がっていた。四八年の第一次オイルショックから物価はうなぎ登りに上がっていた。狂乱物価は、なにもオイルショックのせいだけではない。田中角栄首相による景気のいい日本列島改造論から右肩上がりに上がっているのは、金融緩和のせいだ。それにつられて、人件費も高騰する。だからといって、酒の値段をやたらに上げることはできない。コストが上がって商品の値段が据え置かれれば、とうぜん利益幅も減る。『寺田本家』の売り上げが落ちていくのは、そうした経済環境のせいだった。

大手メーカーを頼りにして、売り上げの六割を維持していた「桶売り」が減ってくれば、自前の酒を自力で売るしかない。おりから、「ディスカバー・ジャパン」なるキャンペーンがはじまって、〝地酒ブーム〟が起こった。地酒とは、全国で消費される大手メーカーの酒「ナショナル・ブランド」「テレビ銘柄」に対し、地元向けに造られる昔ながらのイメージの酒のことをいった。このブームは、水のごとくのどごしよく飲めるという新潟の『越之寒梅《こしのかんばい》』が火をつけた。

それまで蔵元のある地域でしか飲まれなかった地酒。だが、ブームを反映して、街には全国の地酒が飲める店まで現れた。

『寺田本家』も、千葉香取の地酒蔵元である。地酒ブームにのるのが正しい。

しかし、従業員はいったい何をしているのか。時代が変われば、商売もそれに合わせていかなければならない。社内からは、なんの声も聞こえてこない。危機感もない。まったくあいた口がふさがらないとはこのこと。イライラする。ストレスがたまる。ウー、胃が痛い！

ブームといったところで、日本中が急に地酒を飲みだしたわけではなく、都市のごく一部の人たちが飲んでいるにすぎないし、第一、「三増酒《さんぞうしゅ》」にまで手を染めてしまった造り酒屋は、にわかに本物の酒造りに戻ることもできなかった。

まずい日本酒造りがやめられない

もともと伝統的な日本酒造り（「生酛造《きもとづく》り」という。Ｐ84）は、米をアルコール発

甑《こしき》と呼ばれる、酒米を蒸す巨大な蒸し器。

タンクの中で発酵が進んでいる「酒母室」。

酵させて造るものである。とはいっても、米がいきなりアルコール発酵するわけではない。米そのものは糖分を含まないから、そのままでは発酵しない。アルコール発酵は、酵母が糖分を食べて、アルコールと炭酸ガスを出すことでなされるからだ。

したがって、まず米を糖分に変えなければならない。そこで、原料となる米を蒸して麹《こうじ》を加える。すると米麹ができる。この米麹が米のデンプンを糖化することになる。それを酵母という微生物の力でアルコール発酵させるという工程をとる。昔から「一　麹、二　酛《もと》（酒母《しゅぼ》）、三　造り」といわれた過程である。

このアルコール発酵が順調に行われるためには、酵母も強力なものでなくてはならない。酒造り用に大量培養した酵母だ。それを「酒母」または「酛」といって、水、麹、蒸米《むしまい》に酵母菌を加えて特別に造る（空気中の酵母を利用する場合もある）。

その酒母造りで、「山卸《やまおろし》」という蒸米を櫂《かい》ですりつぶす作業がある。桶に入れた蒸米と麹、水をすりつぶす作業は二日くらいかかり、それから酒母を完成させるのに一か月かかる。なんのことはない「乳酸菌」をとり込む作業にすぎないのだから、そんな時間をかける非能率をやってはいられない。

乳酸ならいくらでも安く手に入れられる。それを使えばいい。山卸し作業にかかる人件費は節約になるし、あっという間に（といっても十日はかかる）酒母ができる。合理化というのは、こういうことをいうのだ。

このやり方を「速醸《そくじょう》」（P82）といって実際、行政もそう指導してきた。科学の進歩によってできることを、なにも古いやり方ですることはない。行政はさらに即席で酒母を造る方法を指導し、市販の醸造用の乳酸だけでなく、市販の安い清酒酵母を投入する方法をよしとした。世の中、インスタント時代である。この方法は全国の蔵元を魅了し、当然『寺田本家』もこの方法で酒を造っていた。

日本酒は、「寒仕込《かんじこ》み」といって、冬場だけに仕込みをするものだ。一年かけて造り上げ、びん詰めして販売するのだが、これを次の年の酒ができるまでに売りさばくのが理想的な販売サイクル。一年一回転が、最高の回転率だ。つまり、去年造った酒が売れ残っていたら、回転率が悪いということになる。

だから、目標は回転率をよくして、ひたすら収益をあげることだ。それが競争のなかで、「勝ち組」になることだ。生き残るには、それしかない。負けでもしてみろ、三〇〇年続いた『寺田本家』はどうなる？　従業員は、家族は、路頭に迷う人たちの人数を考えると、ゾッとする。どうあっても自分の代で、蔵をつぶすわけにはいかない。

原価も、切り詰められる限界まで落とした。米も、安い米を求めた。そこからできあがるのは、農薬や化学肥料を使った原料と添加物によってできた、本来もっていたはずの自然の色があせた酒だったが、そのどこが悪いのか。原価は安ければ安いほどいい、そう考えていた。

多種多様の酒造りを試してみるが

今まで販売してきたものが売れなくなってきたら、違う製品を考えるのが商売の常識だ。うちの蔵も、日本中の造り酒屋同様、さまざまな新しい酒を模索していくことになる。

地酒ブームのあとに、「純米酒」ブームがきた。純米とは妙な言い方だが、ようするに醸造用アルコールも添加物も使わない昔からのやり方で造った酒のことだ。精米歩合七〇%以下、白米と麹、水だけを原料としたものである。おいしい日本酒を求める人たちの動きが、当たり前のように昔ながらの味を求めての結果だろうが、私は素直になれない。

「醸造用アルコールがなぜ悪い。純米だからおいしいと思うのは幻想だ。実際、アルコールの入った酒と入らない酒を飲みくらべて味の違いがわかるのか？　問題は混ぜる技術だ」

現実には、『寺田本家』も純米酒を造っていた蔵なのに、もう後戻りできないところにきていた。手間ひまかかる純米酒造りで、会社経営ができるとは思えなかった。

次にきたブームが「大吟醸《だいぎんじょう》」だ。普通の酒は、米を七三〜七五%精米して造る。つまり、玄米の外側を二五〜二七%削った白米を使っている。この削り具合を「精米歩合」といって、玄米に対する白米の重量パーセントを表し、酒の種類の基準にしている。

日本酒の分類

特定名称酒

純米系

純米酒
精米歩合70%以下の米・米麹

特別純米酒
精米歩合60%以下の米・米麹

純米吟醸酒
精米歩合60%以下の米・米麹を原料にし、
低温で長期発酵

純米大吟醸酒
精米歩合50%以下の米・米麹を原料にし、
吟醸酒よりさらに徹底して低温長期発酵

本醸造系

本醸造酒
精米歩合70%以下の米・
米麹・醸造アルコール

特別本醸造酒
精米歩合60%以下の米・
米麹・醸造アルコール

吟醸酒
精米歩合60%以下の米・
米麹・醸造アルコールを原料にし、
低温で長期発酵

大吟醸酒
精米歩合50%以下の米・
米麹・醸造アルコールを原料にし、
吟醸酒よりさらに徹底して低温長期発酵

普通酒

アル添酒
米・米麹・醸造アルコール

三増酒
米・米麹・醸造アルコール・
糖類・酸味料・調味料

日本酒のラベル用語早わかり表

生酛 （きもと）	速醸系の日本酒が乳酸を加えて短期で発酵させるのに対して、「生酛造り」は、天然の乳酸菌が生み出す乳酸の力で発酵させていく製法。「酛すり＝山《やま》卸《おろし》」といって、櫂棒で蒸米と水を混ぜ合わせて溶かす大変重労働の作業を行って造る。米本来のうまみのある、力強い酒ができる。
山廃 （やまはい）	「山卸廃止酛」の略。人工的に乳酸を加えない「生酛系」であるが、山卸の作業を廃止した製法。生酛同様、うまみのある力強い酒ができる。
原酒	もろみを搾ったのち、水を加えてアルコール度数を調整しない酒。18〜20度と、少し高めの度数になる。
生酒	通常貯蔵前とびん詰め前の2度行われる火入れという加熱殺菌を、一度もしていない酒。酵母が生きている。
生貯蔵酒	生のまま貯蔵し、びん詰め前に火入れを行った酒。
生詰め酒	貯蔵前に一度火入れをし、びん詰め前には加熱しない酒。
にごり酒	もろみを搾る際に粗い目の布でこして、おりを残した酒。にごり酒で加熱殺菌しないものは、「活性清酒」と呼ばれる。
おり酒	もろみを目の細かい布で丁寧にこしたのち、タンクの底に沈殿したおりを集めて、白くにごったままにしておいた酒。
無ろ過酒	もろみを搾ったのち、活性炭で濾過をしない酒。琥珀色をして、うまみとコクがある。
樽酒	木の樽で貯蔵され、樽のままかびんに詰め替えられて出荷される酒。
ひやおろし	冬に仕込んでできた酒を春夏の間貯蔵し、秋にびん詰めして出荷した酒。円熟した味わいが楽しめる。
生一本 （きいっぽん）	自社の酒蔵、すなわち単一の製造場で造られた純米酒のこと。

「吟醸」というのは、これをさらに削って、精米歩合六〇％にした白米を使ったものをいうのである。玄米の外側四〇％を削って捨ててしまうわけだ。これをさらに削って、精米歩合を五〇％以下にした白米を原料に醸造した清酒を「大吟醸」という。ほとんど、米の芯だけを使ったなんとも贅沢な酒。いや、もったいない酒である。吟醸酒は、低温でゆっくり発酵させるなど、高度な技術、いわゆる「吟醸造り」で丁寧に造られる酒だ。吟醸香と呼ばれるフルーティな香り、淡麗という言葉そのものの上品な味わい、のどごしのよさはこのうえもない。

世の中が、そういう贅沢な酒を要求するのなら『寺田本家』も対応しなければならない。一粒の米の半分以下しか使わない大吟醸酒を造った。高度に精白した白米を使うが、醸造用アルコールは添加する。醸造用アルコールをいかにも悪者扱いする向きに反発していた。そうすることで、すっきりとした酒に仕上がるのだから、悪者であるわけがない。

醸造用アルコールを添加しない純米酒に対抗して造ったのが、「本醸造酒《ほんじょうぞうしゅ》」だ。これは普通の酒に使う米よりやや削った、精米歩合七〇％以下の米を原料として造る。醸造アルコールは添加するが、糖類を使わない。アルコールの使用量も、白米一トンあたり一二〇リットル以下と、普通の酒より少なめにする。こうすると香りも風味も純米酒に近く、しかも純米酒より、飲み口がすっきりしていて、淡麗な酒になる。要するに技術の問題である。

居酒屋やそば屋にもトライ

売れる酒を造った自信はあった。しかし、黙っていても売り上げが伸びるわけではない。

うちの酒が日本一だというバッジをとろう。権威の裏付けがあれば売り上げも上がる。

日本酒には「金賞酒」というバッジがあった。賞を与えているのが、全国新酒鑑評会だ。これは、酒に関する国の研究機関である酒類総合研究所（旧醸造研究所）が、日本酒の品質向上に貢献することを目的として明治四四年から行っている会である。そこで全国の新酒を審査し、優秀と認められたものは「入賞酒（銀賞）」、特に優秀と認められたものは、「金賞酒」と称される。

この鑑評会に向けて、全国の蔵元が「名醸蔵」のレッテル欲しさにしのぎを削るのだ。そしてそこに集まるのが、雑味《ざつみ》のないさわやかな飲み口の吟醸酒である。『寺田本家』にもいい吟醸酒がある。だが、吟醸酒がもてはやされるようになってからというもの、米の白さを競うばかりで、どこの蔵も同じような酒造りをするようにになってしまった。

毎年鑑評会も白熱し、ブームもいろいろ起こったというのに、日本酒の売り上げは依然として減退し続けていた。いったいどうしてこんなに日本酒離れは進んでしまったのか?

「それでも蔵の経営は自分がなんとかする。儲かるような会社にする」と、これだけ自分ががんばっているのに、だれも真剣にならない。

さらに「原酒」も販売した。酒造りの最終段階で、もろみ(酒母に蒸した米と麹と水を加えて、さらに発酵させたもの)を搾ったものはアルコール度数が一八から一九度である。これに「割り水《わみず》」といって水で薄める作業をして、一五度くらいにしてびん詰めするのが普通の酒だが、原酒はこの割り水をしないで製品化したものだ。濃厚な味が特徴である。

自分なりに、こんな商品もあんな商品もと、いろいろやってみたわけだが、これらがみんな売れないで残ってしまう。でもそれは、うちの蔵だけの話ではない。日本全国の蔵元がいろいろな酒を出していたのだが、どこも同じような状況だった。

その頃はそういう流れだったのだ。

こうなったら、アンテナショップの展開だ。自分で酒を売るっていうのはどうだ、というわけで居酒屋を始めた。自らマスターをやって、ピザなど焼いたりしたが、これもうまくいかない。ほどなく人に譲ることになった。

これでも負けず嫌いの私は懲りない。次はそば屋だ。もちろん、添加物だらけのいいかげんなそば屋である。当時は添加物がどうなのかなど知らなかったし、知ろうともしていなかったのだから当然だ。そして同じような顛末で、店は閉められた。

やることなすこと、ことごとく裏目に出てしまう。もはや空回りどころではない。どうやら人というのは、窮地に立たされると正しい判断がしにくいものらしい。もはやこれまで。三〇〇年続いた蔵も、自分の代でおしまいか？

自分だけががんばっている

うまくいかないのは、社員の質が悪いからだ。「あいつらが会社を腐らせていく」。見回せば、だれひとり私の苦労をわかっていない。「あの人のせい、この人のせい」。悪い原因は、いくらでも見つかった。

そんな風だから、番頭も一人辞め二人辞め、次から次へと辞めていってしまった。辞めていったのは、自分のせいか？　違う。いろいろ忠告してくれる人がいたが、他人の言うことなど信じられない。何を言われても素直に聞けない。利益を考えたら、勝手なことなど言えないはずだ。どいつもこいつも自分勝手で、会社のことなど考えていない。世の中が悪い、社員が悪い。とにかく自分だけが頼りだ。自分だけが、会社を背負って商売をしている。

そうなると、矛先は家族にまで向いていく。当然、家では夫婦げんかが絶えない。商売のこと、従業員のこと、子どもの問題など、すべての不平不満、文句を妻にぶちまけ、言い合いをすることもしばしばだった。

仕事も家庭もうまくいかない人間には、お決まりのコースがある。やけになって始めるのが、賭け事だ。麻雀、コイコイ、おいちょかぶ……。ところが幸か不幸か、これがまた強かった。生来の負けず嫌いがこんなところにも顔を出し、人からは「博才がある」などと言われてその気になって、「勝つのが当たり前」と妙な自信をつけていった。

だからといって、仕事で勝てない不満が博打《ばくち》に勝つことでまぎれるわけもない。人間関係のストレスも、限界まできていた。そうなれば、当然体にくる。婿に入ってからというもの、下っ腹が痛くない日はない。

日増しにタバコの量も増え、一日に五〇本も吸い、灰皿はすぐいっぱいになった。食事は肉好きで、三食カツ丼でもいいくらいだったのだから、体を壊さないわけがなかった。痛い腹を押さえながら、カツ丼を食べる……。

自分の不幸を人のせいにしながら生きているとき、天から送られるメッセージはただひとつ。それは、病気だ。痛い腹の原因は、十二指腸潰瘍だった。これも、みんなストレスが原因だ。

そうやって病名がついたからといって、命まで取られるわけじゃない……。それくらいのことでは、何も気づかない私だった。

酒はますます売れなくなっていく。当然、会社の赤字経営は加速するばかりで、自分が思い描いていた成功からはほど遠くなっていった。

「こんなはずではなかった……」。深い谷底に突き落とされた思いで、身も心もボロボロになっていた。

第3話 どん底で見えてきたこと

腸が腐って、壮絶手術

腹が痛い、腹が痛いと思っていたら、そのうち尻っぺたがじゅくじゅくしてきた。下着に膿《うみ》がつく。でも、そこは痛くもかゆくもない。

「変なおできができてしまった」くらいに思って、放っておいたら一年も続いた。さすがに気になって病院に行くと、なんと腸が腐る病気になっていた。

医師の説明では、直腸の管が腐っていて、そこから膿が皮膚まで出てきているというのだ。こういうのは、病名では「痔瘻《じろう》」というらしい。ひどくすると、手術して人工肛門にしなければならないそうだが、私はかろうじてその一歩手前であった。

最悪の事態は免れたが、腐った部位をそっくり取り除く手術はしなければいけなかった。その手術がなかなか壮絶で、近くで見ていた女房も逃げ出した。なにしろ、部位を切るのがメスではないのだ。ピザを切り分ける丸い刃が、高速で回っているのを想像してもらえればいい。そんなもので人間の体を削っていくのだから、かなり無茶な医療だ。

でも、自分で招いたことなのだ。医師には、やりたいようにやってもらうしかない。おかげでお尻の形が変わってしまった。が、なんとかこれからも自分の肛門が使える体でいられたのは不幸中の幸いであった。

その後、二週間の入院生活を送った。蔵元に婿入りして一〇年目。走り続けてきた足が急に奪われた。病院のベッドの上で考えるのは、酒蔵の経営、自分の健康のことばかり。眠れない夜が続く。

でも、そんなことを繰り返すうちに、ふと違うことを考え始めた。

「人間とは……?」

「生きるとは……?」

木桶

「人間として生きるとは……？」

こういったことは、もっと若い頃、学生時代にでも考える人が多いのかもしれないが、私は考えることなくここまできてしまった。でも、きっと人間には、だれでもいつかは必ず考える機会が与えられるようになっているのだろう。

そこから、本気で人生を考える作業が始まった。

そして長い間悶々とするうち、これまでの生き方や考え方そのものが、行き詰まってしまった原因なのだと気づいたのである。私自身の反自然的な行為や不調和の積み重ねが、「腐る」という事態を招いたのだ。だから、破綻した。だから、道からはずれた。

「いかに自然との関わり方を見直すか」

三五歳。これからのテーマはこれだと悟った。

自然の法則のなかで醸し出された日本酒

腸が腐るとは、またなんとストレートな病気の表し方だろうか。

でも、なぜ腐ってしまったのだろう？

うちの会社の経営も、腐っていたってことだよなあ。どうすれば腐らなかったのだろう、自分も会社も。そもそも腐るって、何だろう?

そんなことを考えていたら、あるとき大変なことに、いやすごく当たり前なことに気づいてしまった。

「発酵すると腐らない」

なすだってきゅうりだって、そのまま放置していればいずれ腐敗してしまうのに、ぬかみその中に入れればいつまでも腐らない。日本の発酵食品の代表選手であるみそやしょうゆも、製造過程で腐ったなんて話は、いまだかつて聞いたことがない。その理由は、発酵しているからにほかならないのだ。

「発酵」とは、味や香りを変化させながら、腐ることなく熟成させていくものだ。アレ? 確か、発酵と腐敗のメカニズムは同じではなかったか? どちらも、さまざまな微生物やそれらが生産した酵素の働きによって有機化合物が分解され、別の物質を作り出す現象をいうはずだ。

けれど、そこでできた物質が、人間にとって有益なら「発酵」と呼ばれ、有害なら「腐敗」と呼ばれる。

日本酒は、まさにこの「発酵」の力によって造られている。酒蔵のタンクで起こっている「発酵」は、コウジカビという微生物が米のデンプンを糖に変え、「酵母」という微生物がこの糖をアルコールにしているわけだ。この酵母だが、昔から全国の老舗の酒蔵では、「蔵付《くらつ》き酵母」が酒造りに活躍してきた。

古い土蔵造りの蔵の土壁に、黒光りした柱に、天井に、たくさんの木桶にも、ビッシリと「蔵付き酵母」は棲みついている。長年にわたり、蔵を棲み家としている「蔵付き酵母」たちは、他の微生物の侵入を許さない。それは、棲み分けという現象が、微生物の世界にもあるからだ。

そして、この酵母がタンクの中で生き生きと働くには、酸性の環境になっていなければならない。だが、それ以前に登場する乳酸菌の働きで、酸性状態がもたらされている。この環境下では、酒造りに好ましくない菌は増殖ができないのだ。

こうやって自然の法則のなかで腐敗を防がれながら、酒造りに有用な微生物たちの多種多様な力が働いて醸し出されたのが日本酒なのだ。けれど、「火落《ひお》ち」や「腐造《ふぞう》」という言葉があるとおり、蔵ごと酒を「腐らせてしまった」蔵も昔は多かった。日本酒に好んで発生する「火落《ひお》ち菌」という、杜氏《とうじ》や蔵人たちが最も恐れる菌が発生すると、もう夜逃げするしかなかった。

そういった事故を防ぐために、人工的に乳酸を加えて安定した酸性状態を作ったり、火入れといわれる加熱殺菌をしたり、アルカリ性の木灰を入れたり、あげくは蔵ごと塩素消毒してしまうというところまできた。

でも、それが正しい道だったのか？　腐敗の原因は蔵の菌バランスが崩れたことが原因ではないか。微生物たちの調和した世界を、乱したのは何か？

発酵に適した環境を整えてやれば、腐敗は防げるのではないか。

研究しなければいけないことが、山のように出てきた。わかっていることは、酒造りに有用な微生物が楽しく働ける場を整えればいいということだ。そうすれば、発酵が発酵を呼び、腐ることなくブクブクと……。ああ、なんてすばらしいんだ、発酵の世界は。

蔵元に婿に入って一〇年にして、ようやく気がついたのである。蔵は金を得るためにあるんじゃない。自分がここに来るずっとずっと前から棲みついていた微生物たちが、力を合わせて「発酵」を続けている場所だったのだ。

発酵か腐敗かの選択

私の体も同じだった。腸内には、体に有用に働く善玉菌《ぜんだま》と、腐敗物質を生成する悪玉菌《あくだま》、そして善玉にも悪玉にもなりうる日和見菌が存在すると言われているが、私は善玉菌を発酵菌、悪玉菌を腐敗菌と呼んでいる。日和見菌《ひよりみ》は、発酵菌の元気がいいときは、発酵の働きをし、腐敗菌が多くなると一緒になって腐敗の働きをするという菌である。

自分の腸が腐ったということは、日和見菌まで総動員して、腐敗菌が大活躍していたに違いない。酒蔵でいえば、仕込み中に酒を腐らせてしまう「腐造」という現象と同じだ。これも、腐造乳酸菌という、酸にもアルカリにも強く、低温でも生育できる菌によって引き起こされる。

自分の腸は、「腐造」になってもしかたがなかった。肉食過多の食事に大量のタバコ、不摂生な生活、そして身の傲慢さが、

微生物たちが力を合わせ、ブクブクと酒を発酵させている。

腐敗菌を増殖させてしまった。当時はタンパク質信仰も強くて、野菜の重要性を意識する人などそういたわけではなく、自分も「食べたいものを食べて、何が悪い」とばかりに、好き勝手な食事をしていた。

肉や卵などの動物性タンパク質や脂質が消化不十分で腸に入ると、腐敗菌の作用で腸内が腐敗すると知ったときは、思い当たることばかりだった。カツ丼好きの私が、腸を腐らせたのも納得がいく。

腸内環境というのは、ほどよく発酵菌優勢というのがいいのだそうだ。発酵菌によってもたらされる「腸内発酵」が、便秘を解消し、大腸ガンをも予防してくれる。そういう状態を持続できれば、免疫力は高まり、健康になっていくのだ。

逆に腐敗菌が優勢になれば、「腸内腐敗」がもたらされ、便秘や下痢が起こりやすくなって、発ガン物質も現れてくる。あげくは体全体の免疫力が下がり、不健康への道をまっしぐらとなるのだ。

おなかの調子も、決め手は「発酵」と「腐敗」だった。蔵に棲みつく微生物たちが酒を発酵させてくれていたように、腸にいる微生物たちがおなかを発酵させてくれていた。酒のタンクの中がいい発酵状態のときは腐敗菌を駆逐するように、健全な腸内ではどんな菌が来ても撃退できるのだ。

「発酵すると腐らない」。ぬかみそで気づいたことは、こういうからくりだったのか。いい発酵がいい発酵を呼び、腐敗など寄せつけないのだ。

よくわかった。すっかり腑に落ちた。自分はずっと、まったく逆をやっていた。腸が腐敗して、体が腐敗して、心まで腐らせていたのだ。ああ、そうか、「発酵」と「腐敗」は、人間の気持ち、意識にもあてはまることなのだ。

自分のもの、自分のお金、自分の会社、自分の成功……、「自分の、自分の」という我意識は、腐敗をまねいてしまう。発酵している意識というのは、本来の自分、本当の自分の意識をいうのだろう。一人一人の心の奥にある、純粋な意識のことを。

「自分の利益や欲を捨てたときに、人間は救われる」

これは、かつて父に言われた言葉だ。自己中心的な姿勢を改めたとき、発酵という救われる道ができるということだったのかもしれない。父に言われたときは意味がわからなかったが、発酵と腐敗という〝ものさし〟をあてて、やっとわかった気がする。

腐敗しきっていたときの自分は、井の中の蛙《かわず》だった。自分だけの世界で偏った価値観を頼りに生きていた。何が大切か、何が本物か、体も心もわかっていなかった。これがひとたび発酵してくると、人間は直感が働いてくる。本物がわかってくる。

現在は使われていないが、『寺田本家』の風景には欠かせない煙突。
薪の時代のもの。

広い視野で見ることができてくる。

何より、腐敗は病気や失敗、苦悩、災いの源であるとわかってきた。不幸といわれるあらゆることの元をたどっていくと、必ずそこには腐敗がある。発酵していれば、そこには平安がある。幸せがある。発酵こそが、進むべき道なのだと思えてきた。

そして、発酵を選ぶか腐敗を選ぶか？　人間だけは自由意思でそれを選択できる。なすやきゅうりは、ぬか床に入ることを自分で選ぶことはできないが、人間は自らぬか床に入る選択ができるのだ。そしてどちらか一方を選択したとき、好むと好まざるにかかわらず、それは結果となって表れてくる。

逆らって腐敗を選択することもできるのだ。お金を追い求めて競争を続けたり、他人を犠牲にして自分の快楽だけをむさぼって生きる道もある、現代社会ではだれでも容易に選択できる道だ。でも、その道をとことん体験して初めて腐敗にいきあたり発酵の大切さがわかるという人もいるのだ。実際、私もその口だった。

「おなかが発酵するか、それとも腐敗するか、これが健康の分かれ道なんだなぁ」

腸が腐るというとんでもない体の異変から、私はこのことに気づいた。そこで初めて、すべてにおいて発酵の道を選んで歩むことを決意したのだ。

第4話　本物の酒を造ろう

今までの酒造りをやめなければ

自分は発酵していこう、会社も発酵していこう。そう決心したからには、とても今までの酒造りを続けていてはいけないと思った。

さて、どこから始めよう。まずは、原料の見直しだ。今までは、コストを抑えるために、ただただ安い酒米を求めてきた。安い米は当然、農薬も化学肥料も使って栽培された米だ。これを使ってきたのはよかったのだろうか。このまま使い続けてもいいのだろうか。

酒造りを根本から変えるということは、根本である米を変えるのだ。原料が同じでいいわけがない。では、米の銘柄の選択の問題か。産地の問題か。生産者の問題か。いや違う。本物の米、そうだ、農薬というものに頼らない米だ。農薬も化学肥料も使わない米を原料にしよう。そう気づいたときは、霧が晴れたようだった。

無農薬の米！　そうはいっても二〇年前の話だから、今と違ってあちこちで無農薬米を栽培しているという時代ではなかった。それまで、無農薬なんて考えてもいなかったから、急に無農薬といっても、そんな方面につてなどまったくなかった。しかたがないので、農業雑誌に載っていた無農薬農家の記事を頼りに、ともかく訪ねてみた。

そして山形の新庄というところにあった無農薬の米造りをしている農家で見せられたのが、二つの皿に載せられた米だった。一つは黒くタール状になっていて、ほとんどとろけてしまっている。他方は、普通の状態の米であった。

両方とも、一〇年前に作られた米だというが、タール状になった米は、農薬と化学肥料を使用して栽培されたもので、米がそのまま残っていた方は、無農薬無化学肥料で栽培された米だった。

「農薬や化学肥料で育てると、こういう風になっちゃうんですよ」と、その農家の人は言いたげだった。

本当の米なら、一〇〇〇年前のものだって土に埋めたら芽が出てくるという。それがわずか一〇年でタール状になってしまうとは……。二つの米の生命力の違いに驚愕した。

自分は今まで、黒くとろけてしまうような生命力のない米で酒を造っていたのか！　長年原料にしてきた米のことを、自分はまったく何もわかっていなかった。

「うちの酒は、ぜったい無農薬米で造るぞ！」

そう決意を固めた。とはいえ、現実は厳しい。造り酒屋の経営は、原料代と人件費が二本の柱となっているわけで、米の値段は非常に大きな問題だ。無農薬米は今まで使ってきた米の三倍の値段なのである。それだけで経営をものすごく圧迫する。

だから決意といっても、並大抵の決意ではないわけだ。もうあとがない、もうこれしかないのだ、これがダメなら蔵をやめるしかないのだ、という背水の陣の決意だ。命がけの決意だった。

決断は、蔵の当主である自分が一人でするしかない。もはや効率や生産性なんて、追いかけない。「いかに儲けるか」を捨てた。私利私欲も捨てた。ただ本物の酒造りを始めよう、それだけだった。

無農薬の酒米でできた麹米。

体の回復とともに、欲まみれの精神が正気を取り戻していった。

あなたのお酒はお役に立ちますか

新たな酒造りを始めるにあたり、会っておきたい人がいた。亡くなった父の人生の師、常岡一郎《つねおかいちろう》氏である。

常岡氏は、明治三二年生まれの哲学者である。肺結核の体験から、自分を空にしてささげつくす生涯を送ろうと決心し、空っぽになるまで自分を絞る生き方、他人を喜ばせる生き方を選んだ人だ。そして困っている人の魂を救済する活動と、求道者としての心理の探求を実践していた。

言葉だけでなく、実際に戦後の混乱のなか、戦争孤児一〇〇人と身寄りのない老人一〇〇人を養い、多くの人に生きる希望を与えていた。

彼の主張は、「中心が何であるか、どこにあるか。これをはっきりつかむことが、人類生存の尊い唯一の道である」「例えば綱渡りの曲芸師は、中心を外せば転げ落ちる。中心をとるコツは、いつもまわりを見ながらバランスをとっていくことだから、足元を見つめていたのではバランスをくずしていく。だから自分のことばかりを考えるな。自分の都合は捨てろ。相手の喜ぶことを、まわりが喜ぶことを第一に考えなさい」。

常岡氏のところに初めて父に連れて行かれたのは、このときからさらに一〇年さかのぼるが、二五歳の自分には、「自分のところへ入れよう、入れようとするんじゃなくて、吐き出しなさい。力も汗も、親切もお金も、自分のもっているものはすべて吐き出しなさい。吐き出したら、ひとりでに入ってくる」などという常岡氏の話が素直には聞けなかった。というより、まったくわけがわからなかった。

「なんだよ、このおやじ。何言ってるんだよ」。そんな初対面だった。

その人のことを思い出したのだ。だが、一〇年して父の思いがわかったような気がしてきた。常岡氏のところに自分を連れて行った翌年、父は他界した。それは、「もし困ったことがあったら、この人に相談しなさい」ということだったのじゃないか。

そんなわけで、「さあどうする、人生の分かれ道」というときに、頭に浮かんだのが常岡氏だったのだ。そして一〇年ぶりの再会……。

そこで氏に言われたのが、「あなたのお酒は、お役に立ちますか」という言葉だった。

自分の蔵で造っている日本酒が人の役に立つかなどということは、考えてもみなかった。そう言われると、まったくもって自信がない。それどころか、だいたい酒などというものは飲めば飲むほど不健康になるものだ。家族に一人酒乱がいれば、家庭崩壊をも引き起こす。考えてみれば、自分は今まで人の役に立つどころか、人に害を及ぼすようなものを造って金を儲け、生活をしてきた人間ではないか。

会社も我が家も、人の不幸の上に成り立っていたのだ。そう気づいた私は、正直愕然としてしまった。

いや待てよ、本当にそうなのだろうか。かつて日本酒は、「百薬の長」といわれたのではなかったか。それがいつのまにやら「きちがい水」などといわれるようになってしまった。飲み過ぎれば、血糖値も血圧も上がる。肝臓は壊す。心臓にだって悪い。はては寿命を縮めるとまでいわれ、タバコと並んで、毒まんじゅうのように思われているのが日本酒だ。

どうして日本酒は、こんなにイメージダウンしてしまったのか？　いつから「百薬の長」ではなくなったのか？　再び「百薬の長」といわれる酒を造るには、いったいどうしたらいいのか？

迷いのなかにありながら、常岡氏に言われた言葉が頭から離れない。そして次第に「人の役に立つ酒を造る」ことが、自分のテーマとなっていった。と同時に、それがうちの蔵の商いの根本精神となっていったのである。

喜ばれる酒、「百薬の長」を造ろう

日本酒の歴史を振り返ると、江戸時代前期までは、どぶろくのような濁り酒を手造りでみな造っていた。後期になると、前述の「生酛《きもと》」が主流になり、明治になって、それを簡略化した「山廃《やまはい》」が開発された。そして戦争を機に、ほとんどの造り酒屋が「速醸《そくじょう》」という、添加物だらけの即席の酒造りに転じている。

私が求めている「百薬の長」とは、戦前に存在した酒のことだ。合成乳酸や、アルコール、うまみを調整する添加物などの混じらない、本物の酒が飲まれていた時代が日本にはあった。それならば本来の酒造りに戻せば、ふたたび「百薬の長」と呼ばれるようになるのではないか。

酒造メーカーのなかでも、このことに気づいていた人間がいないはずはない。でも、儲かる酒なら生産するが、どんなに人から必要とされる大切なものであっても、儲からなければ造らない。生命よりお金が優先される時代なのだ。

ならば時代に逆らって、お金より生命を優先して酒を造ろうじゃないか。かつて父は、「商いは、『変わる』ところに味が生まれる」とつねづね言っていた。今が変わるとき、今がゼロからのスタート地点なのだ。

でも実のところ、この頃の私は日本酒の「百薬の長」たるゆえんがよくわかってはいなかった。のちに研究者たちが発表した日本酒の効能についての資料を目にする機会があり、そのたびに納得して自分の商売に自信をつけていったのだ。

それらの資料によると、日本酒をほどよく飲む人は、飲まない人より長命だというデータがある。血行をよくして血圧を下げる、善玉《ぜんだま》コレステロールを増やし、血糖値も正常に近づけていくといった、今までの認識をくつがえすような研究発表が続々となされている。

秋田大学名誉教授で医学博士の滝沢行雄《たきざわゆきお》氏の研究によると、人のガン細胞に、薄めた純米酒をたらすと、九〇%以上が変形または死亡するという。さらに、大腸菌や赤痢菌など、九種類の菌に対する実験では、細菌の発育防止帯が生まれたそうだ。

中年男性で、毎日飲酒するグループに絞ってガンの死亡状況を調べてみると、このグループは、飲酒をしないグループに比べて、ガンにかかる率が低かったという。特に胃ガンの発生率は、四〇%も低下していたそうだ。

飲酒はガン予防になると証明されたのだ。同様の結果は、文部科学省の調査でも得られている。これは驚きだ！

愛媛大学の奥田拓道《おくだたくみち》教授の研究室でも、日本酒の中に糖尿病予防のインシュリン様物質があることがわかり、それどころかガン細胞の増殖を抑制するナチュラルキラー細胞活性促進物質というものの存在が判明した。スゴイ！

また京都大学の清水章史教授は、日本酒によるうつ病の改善効果を発表している。そのほかにも、各研究者から、高血圧、血栓、動脈硬化、骨粗鬆症《こつそしょうしょう》など、生活習慣病にきわめて高い薬効がある可能性が指摘されている。さらに、アトピー性皮膚炎の改善も報告され、シミの減少や皮膚の保湿、保温など、美容にも効果があることが確認できたというから、美を求めてやまない女性には朗報ではないか。

断っておくが、これらは添加物だらけの偽物の酒を大量に飲んだ結果では決してない。米と麹を原料とした純米酒を、ほどよく飲めばの話である。

それならば、もっと進めて生命《いのち》が喜ぶ本物の酒を造ったらどうなるだろう。その酒を飲んだら、いつのまにか健康になってしまう。楽しくなってしまう。幸せになってしまう。そんな酒を造ろうじゃないか。

みんなに喜ばれる酒を造るのだ。自分の都合を捨て、会社の都合を捨て、ただただ飲んでくれる人たちの喜ぶ顔を思い描いて。

第5話 微生物って、スゴイ！

自然酒『五人娘』の誕生

生命《いのち》の視点で酒を造ろう。昔ながらの酒造りに返ろう。人の役に立つ酒を造るのだ。そう考えて到達したところは、無農薬・無化学肥料で栽培された米を使った、自然酒造りだった。

製造法も、添加物で造る「速醸《そくじょう》」はやめて、まずは「生酛《きもと》」を簡略化した「山廃《やまはい》」という仕込み方で造ることにした。とはいっても、その頃にうちにいた杜氏《とうじ》も速醸のやり方しか知らなかった。偽物の酒造りの歴史が長くなりすぎていたのだ。しかたがないので、その杜氏の「昔聞いたことがある」くらいの知識で、ともかく「山廃」に取り組んだ。

見切り発車のようにしてできた酒なのに、失敗どころか、それまでのべたついた甘みの酒とは風味がまったく違う。米本来のほのかな甘みが出ていて、自然の力で醸し出された奥行きのある味わいがある、うまい酒ができた（自分は下戸ではあるが、利き酒には自信がある）。

この酒は、今までの三倍の値段の米で造った酒だ。倒産覚悟、命がけの決意で造った酒なのだ。どうせなら、いい名前をつけてやりたい。そう思ったとき、あることを思いついた。この酒の名は、歌人・土屋文明《つちやぶんめい》氏につけてもらおう。

土屋文明氏は、アララギ派の歌人で、二〇代目当主、寺田憲《てらだけん》がスポンサーをしていたという関係にあった。長命だったために、二三代目の私の時代にもお元気だった。

「無農薬の米を使い、自然の力で酒を造ったので、どうか名前をつけてください」と懇願に行った。すると、かつて文明氏が「寺田本家」を訪れたとき、娘が何人も出てきて驚いたという話をしてくれた。そしてそのときの記憶から、「たくさん娘がいて、そこのお酒を飲んだらきっと楽しいだろう」という思いと、「まじりっけのない自然酒は、けがれを知らない娘のイメージ」だと言って、『五人娘』という名をつけてくれた。

実際私には三人の娘がいる。嫁も義母も寺田家に生まれた娘だと考えると、うちには本当に五人の娘がいるじゃないか（ちょっと無理はあるが、まあいい）。『五人娘』は、まさにうちの酒だ。いい名がついた。

こうなったら、この名に恥じない酒を造っていかなければ。今のままでは、まだまだだ。それは、アルコールや添加物を加える三倍増醸を併用しながら経営を回していたからだ。これをやめていかなければならない。

あとの話だが、三増酒は三年目にやっと全量撤退となった。製造法も、いつかは「生酛造り」に戻すのが目標だ。でもそれは、経営的にはまったく成り立たない方法だ。いかに損をしていくか、というようなものなのだ。

それでも自分は、「人の役に立つ酒造り」をしていきたい。蔵はまだまだだ。

力強い発酵で、生命力のある酒を造る

酒造りは、昔から「一　麹、二　酛、三　造り」といわれる。うまい酒造りに重要な

三要素を語る言葉だ。

『五人娘』は、無農薬玄米を精米するところから始まる。精米した米は、洗ってから水に浸す。米を洗うことを「洗米《せんまい》」といい、水に浸すことを「浸漬《しんせき》」というが、浸しすぎると米がふやけるので、ストップウォッチを使用した分刻みの作業だ。単純な作業ながら、緊張感が走る。

ざるにあげて水をきった米は、甑《こしき》と呼ばれる巨大な蒸し器に入れる。直径約二メートルの甑は、蔵でどっしりとかまえたお父さんといった存在感がある。一時間蒸して「蒸米《むしまい》」にする。

蒸しあがった米は、炊いたごはんに比べると表面が硬くぽろぽろとした感

「浸漬」は時間との勝負。

じだが、中はやわらかい。外側を硬く、中に水分をため込むように蒸すのは、造り酒屋独特の方法で、これがむずかしい。

ちなみに水に漬けた米を蒸さずに、水と一緒にミキサーのようなものにかけ、デンプンを分解する酵素剤を加えてから蒸す「融米《ゆうまい》造り」という方法もある。「月桂冠」によって開発され、平成四年に商品化されている。この方法だと、なんと一〇分で米のデンプン質は融解し液化する（液化仕込み）。それを冷却して麴とともに仕込むのだ。もちろん、次々と他社も真似し始めた。

「松竹梅」が開発した「焙炒《ばいしょう》造り」という方法もある。精米した米を二〇〇〜四〇〇度の熱風にあてるのだ。この米を麴や酵母と一緒に仕込むと、容易に酒ができ、人件費は相当省ける。最初の加熱処理で、アミノ酸や脂肪が減るので、辛口端麗という酒が簡単にできる方法だという。

こういった酒造りをしている工場を見学すると、どこにも人がいないことが多い。密閉されたラインで、人の手に触れることなく酒が造られていくのだ。

話を『五人娘』の製造工程に戻そう。「蒸米」を麻布の上に広げて人肌くらいに

蒸米をさます

さまし、微生物が活躍するために最適な温度にする。うちでは蔵で自然にさますのだが、これも冷却器を使うところが多い。そんなに急いでどうする？　と言いたいところだ。

さました「蒸米」は、麹室《こうじむろ》という暖かいというか、むしろ蒸し暑いくらいの部屋に移し、清酒用の麹菌である黄麹《きこうじ》菌という粉状の胞子をまんべんなくふりかけ、よく混ぜる。

黄麹菌は、一グラムに一億個の胞子が含まれていて、「種付け」といわれるこの作業で、米の一粒一粒に菌を植えつける。一粒一粒とは、気が遠くなるような話だが、これが実際に行われているのだ。

麹菌はカビの一種なので、高温多湿という環境で繁殖しやすい。そのため麹造りのための専用の部屋である麹室は、室温が三〇度に保たれている。麹菌に居心地のいい場を作ってやることで、生育を助けるのだ。

種つけ後二日間は、麹菌が最高の力を発揮させてくれるよう、きめ細かい手助けが必要になってくる。蒸米の温度と水分を均一にし、麹菌に酸素を供給するため、一日に数回麹米を崩して混ぜるといった作業を行いながら、温度の急上昇を抑えてやる。

こうやって手をかけながら、健やかな麹を育てるのだが、麹菌好みの室温三〇度は人間にはかなりきつい。杜氏《とうじ》たちは、上半身裸になって汗だくで蒸米を混ぜている。大変な仕事だ。

この麹作りの方法は、伝統的な蓋麹《ふたこうじ》法とそれを簡略化した箱《はこ》麹法、さらに簡略化した床《とこ》麹法がある。蓋麹法は、麹蓋と呼ばれる小さな杉箱に麹米を分けて入れて菌を繁殖させる方法で、吟醸酒かそれ以上の高級酒に使われる方法である。箱麹法は、麹蓋をそのまま大きくしたような麹箱の中で菌を繁殖させる方法で、床麹法は箱を使わずに、室にしつらえた台の上で繁殖させる方法である。これらの手作り法に対し、機械製麹法《きかいせいぎくほう》という大量生産の方法もあるが、酒のできには限界がある。

うちでは床麹法で麹を作ってきたが、昨年からは蓋麹法を取り入れている。一つ一つ箱ごとに、米を広げる作業が夜中に行われるのだ。

そんな作業を二日ほど続け、麹菌の菌糸が米に食い込むと、米粒の表面が白く霜がついたようになり、麹（＝米麹）になると栗のような甘みが出てくる。蔵見学でも、これの味見が人気だ。

この甘みは、麹菌に含まれるアミラーゼという酵素によって米のデンプンが糖化された証拠で、こうなれば麹は完成である。ここにいたって「一　麹」といわれる段階を、ようやくクリアしたことになる。

蓋麹

半切り桶混ぜ

酒を造る工程のアルコール発酵は、酵母が糖分を食べてアルコールと炭酸ガスを造るというものなのだが、糖分は麹によってすでにできた。次は酵母造りだ。ここで造るのが「酛《もと》」であり、「酒母《しゅぼ》」ともいわれる、まさに酒造りのお母さんである。一家の中でのお母さんの存在を思えば、「酒母」がいかに重要か、容易に想像がつくだろう。

ここで、生命力あふれる力強いお母さんを造れるかどうかが問題になってくる。人工乳酸を加える速醸造りでは、酵母の増殖は早いが力が弱い。それに比べ、いまやすっかりすたれてしまった「生酛《きもと》造り」なら、パワーのある頼もしい酒母ができるのだ。

酒母タンクに水と蒸米《むしまい》と麹を入れ、酒母室という専用の部屋で酵母を育てるのだが、ここで生酛系でも造り方が三つに分かれる。タンクに材料を入れる前に人の手ですりつぶす「山卸《やまおろし》」という作業を行う江戸時代からの「生酛造り」と、ミキサーのようなものですりつぶす「簡易生酛」、すりつぶさずに麹の力で溶かすという考え方で山卸を廃止した「山廃」だ。

「生酛造り」の「山卸」という作業は、半切り桶という桶に水と蒸米と麹を入れ、かぶら櫂という櫂棒で繰り返しすりつぶすのだが、この厳冬に行われる辛い作業は日本中どこの蔵でもとっくにやめてしまっている。

自然に沿って造ろうと始めた『五人娘』も、最初は「山廃」で一〇年、それから「簡易生酛」になり、「山卸」を行うようになったのは、それから七年してからだ。

さらに一昨年からは、この「山卸」の作業を、かつてどの蔵でも歌われていたであろう「酛すり歌」を蔵人たちが歌いながら行うことにした。自然の恩恵を受けた尊い酒に、新たな生命が吹き込まれる瞬間だ。

蔵に棲みつく微生物が酒を造る

速醸で造る場合、酒母タンクに水（仕込み水）と蒸米と麹を入れる最初の段階で、化学生成された薬品系乳酸（原料は石油。国連食糧農業機関＝ＦＡＯが禁止を呼びかけている）を加える。これにより、雑菌が抑えられて清酒酵母だけを純粋に増殖させることができるというのだが、このような方法を採用している酒蔵は、消毒にひたすら精を出している。速醸と蔵の消毒は、このようにセットなのだ。本当は蔵のあちこちにいる菌、つまり微生物が酒を造る立て役者だというのに。

「生酛《きもと》造り」はもちろん、「山廃」や「簡易生酛」であっても、乳酸を添加しない生酛系の造り方なら、蔵に棲みついている微生物がひとりでに働いて酒母を造っていく。ただし、速醸の二倍の日数がかかる。

酒母タンクに入って二〜三日すると、まず硝酸還元菌が自然に増殖してくる。そして五日目くらいには、この菌が仕込み水の中の硝酸塩を還元して、亜硝酸を作る。これにより、次にくる乳酸菌が働きやすい場が作られるのだ。本当によくできている。

亜硝酸ができるのと同時に、乳酸菌がこれもまた自然に増殖してくる。そして一二日目あたりになると、この乳酸菌が乳酸を生成し、タンクの中を酸性にする。こうなると、酸に弱い雑菌

タンクの中で微生物がバトンタッチしていく様子

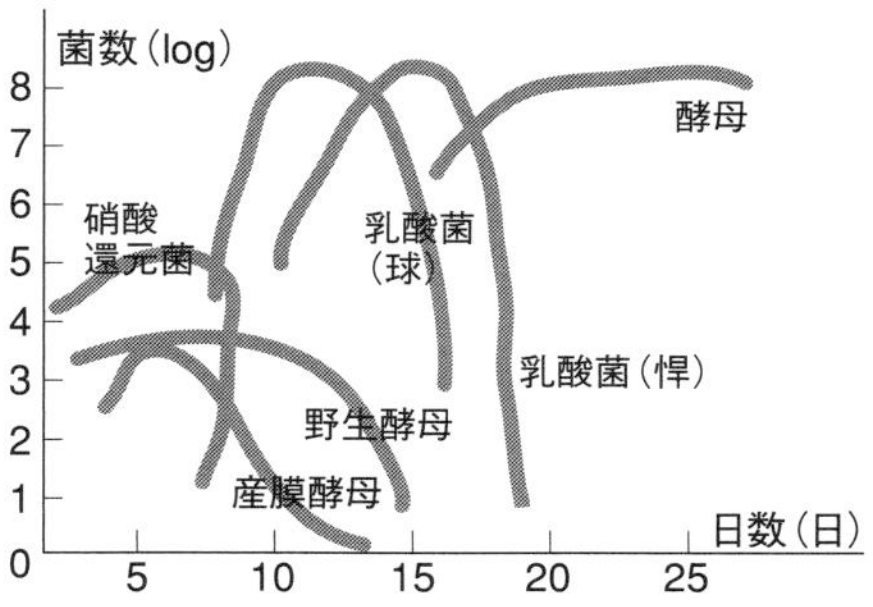

●産膜酵母：日本酒や焼酎に入っている酵母菌で、
みそやしょうゆの表面には白いカビになって出る。人体には無害。
● 乳酸菌（球）（悍）：乳酸菌は、「乳酸桿菌（にゅうさんかんきん）」
「乳酸球菌（にゅうさんきゅうきん）」「ビフィズス菌」の3タイプに大別される。
（秋山裕一著『日本酒』より引用）

は生きていられないため、役目を終えた亜硝酸還元菌はここで死滅し、乳酸を作った当の乳酸菌も減少してしまう。

　こうして多量の乳酸で満たされたタンクの中に、速醸の場合は協会酵母といわれる日本醸造協会が人工的に培養したものを添加して、安定した発酵状態を得ようとする。『五人娘』も、途中まではこの協会酵母に頼っていた。


　けれども蔵の天井、梁、柱、壁、戸のいたるところに、微生物はびっしり棲みついている。うちの蔵の蔵付き酵母は、一九九八年にこれを発見してくれた人がいて、協会酵母からの脱却がかなった。その人は、自然食品業界の宮下周平《みやしたしゅうへい》氏であるが、それは別の酒の開発のときだった（第12話を参照）。

　さっそく蔵の柱や板壁を削り、蔵に棲みついていた野生酵母を採取した。酵母のなかには、アルコールを作る菌と、作らない菌があるので、作る菌だけ純粋に培養してタンクに投入し、翌年からは酒の発酵途中のタンクから採取するのを繰り返した。

　日本中の蔵が協会酵母という培養した酵母菌の投入に走るには、理由があった。せっかく仕込んだ酒を全部台無しにしてしまう、「火落ち菌」という日本酒だけに生育する菌の存在である。品質が安定する速醸に比べ、手間がかかるうえに失敗の可能性のある「生酛」がすたれてしまったのも、仕方がないことだったのかもしれない。けれど、そのためにどこで造る酒も同じような味となり、個性豊かな本物の酒からは遠ざかってしまったのだ。

　ともあれタンク内の酵母が働きだすと、ここで初めてアルコールができてくるが、生き残っていた乳酸はこのアルコールによって死滅する。そして一八日くらいかけてアルコールが生成され、トータルで一か月ほどたった頃に、野趣にあふれた力強い酒母ができあがる。長い時間と手間をかけて、「二　酛」をようやくクリアできたというわけだ。

　この酒母をスターターとして、「三　造り」の行程、「もろみ造り」に入る。酒母に麹・蒸米（この段階のものは掛米という）・水を加えて、原酒となるもろみを約二〇日間以上かけて管理する。タンクに投入される全量の麹・酒母・掛米の比率は、麹二〇～二三％、酒母七％、掛米七〇～七三％といわれている。

　だが、材料を一度に合わせるわけではない。仕込みを「初添《はつぞえ》」「中添《なかぞえ》」「留添《とめぞえ》」と三回に分けるのだ。これは「三段仕込み」といわれるが、そうしないとタンクの中

速醸造りの日本酒ができるまで

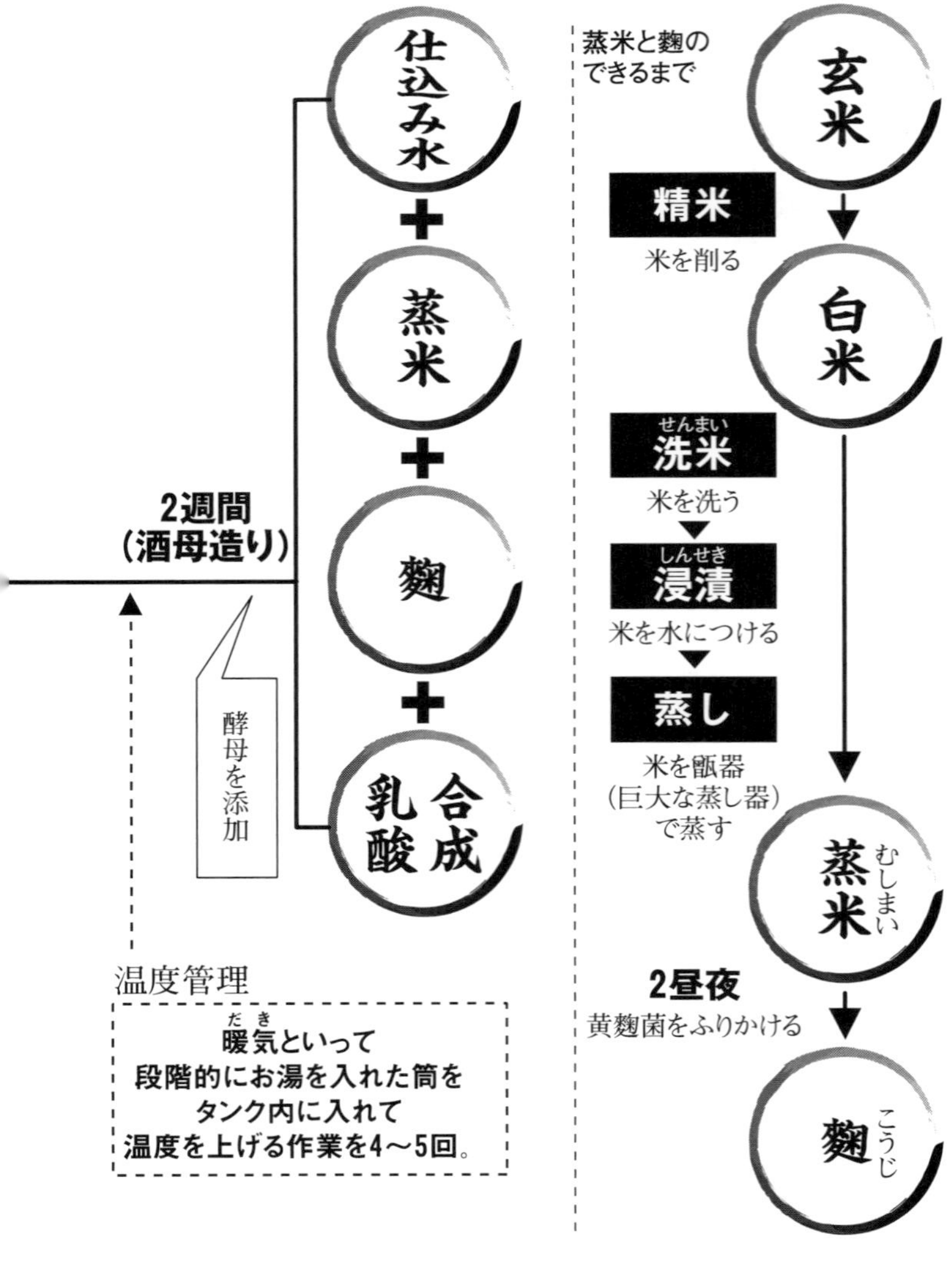
仕込み水
蒸米
麹
合成乳酸
2週間
（酒母造り）
酵母を添加
温度管理
暖《だ》気《き》といって
段階的にお湯を入れた筒を
タンク内に入れて
温度を上げる作業を4〜5回。
蒸米と麹の
できるまで
玄米
精米
米を削る
白米
洗米《せんまい》
米を洗う
浸漬《しんせき》
米を水につける
蒸し
米を甑器
（巨大な蒸し器）
で蒸す
蒸米《むしまい》
2昼夜
黄麹菌をふりかける
麹《こうじ》

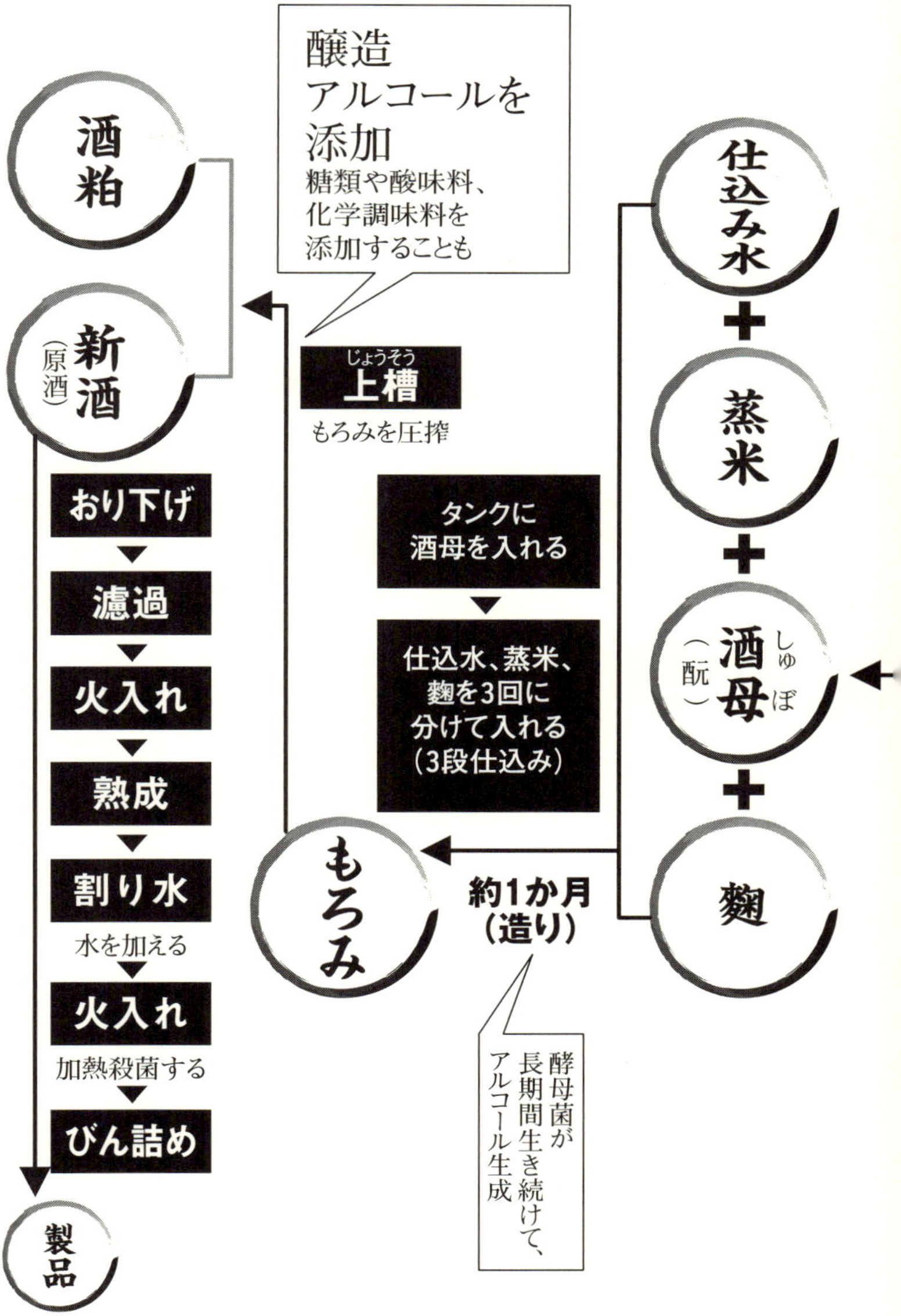
仕込み水
＋
蒸米
＋
酒母《しゅぼ》
（酛）
＋
麹
タンクに
酒母を入れる
仕込水、蒸米、
麹を3回に
分けて入れる
（3段仕込み）
もろみ
約1か月
（造り）
酵母菌が
長期間生き続けて、
アルコール生成
上槽《じょうそう》
もろみを圧搾
醸造
アルコールを
添加
糖類や酸味料、
化学調味料を
添加することも
酒粕
新酒
（原酒）
おり下げ
濾過
火入れ
熟成
割り水
水を加える
火入れ
加熱殺菌する
びん詰め
製品

生酛造りの『五人娘』ができるまで

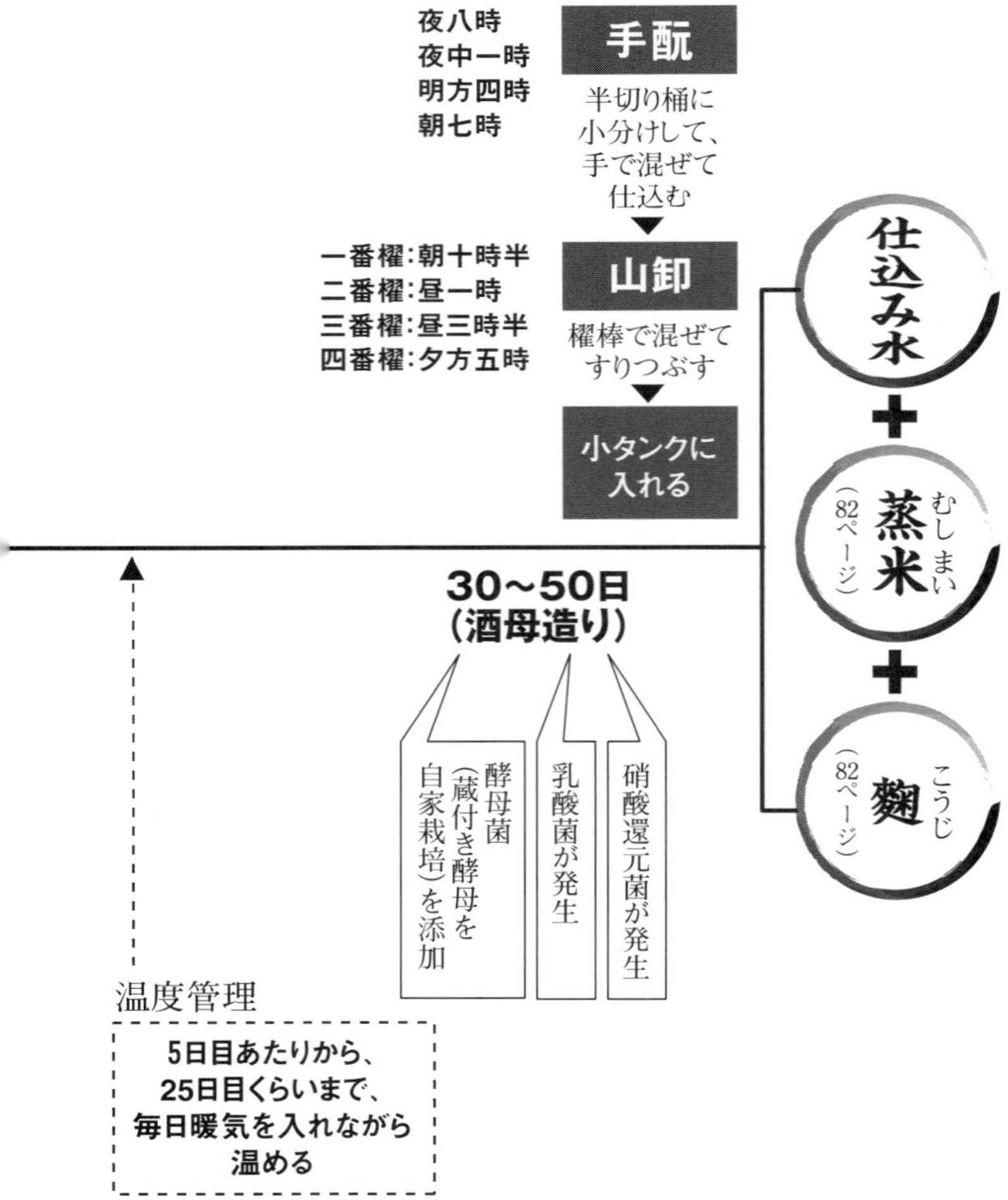
夜八時
夜中一時
明方四時
朝七時
手酛
半切り桶に小分けして、手で混ぜて仕込む
一番櫂:朝十時半
二番櫂:昼一時
三番櫂:昼三時半
四番櫂:夕方五時
山卸
櫂棒で混ぜてすりつぶす
小タンクに入れる
仕込み水
+
蒸米《むしまい》
(82ページ)
+
麹《こうじ》
(82ページ)
30〜50日
(酒母造り)
酵母菌(蔵付き酵母を自家栽培)を添加
乳酸菌が発生
硝酸還元菌が発生
温度管理
5日目あたりから、25日目くらいまで、毎日暖気を入れながら温める

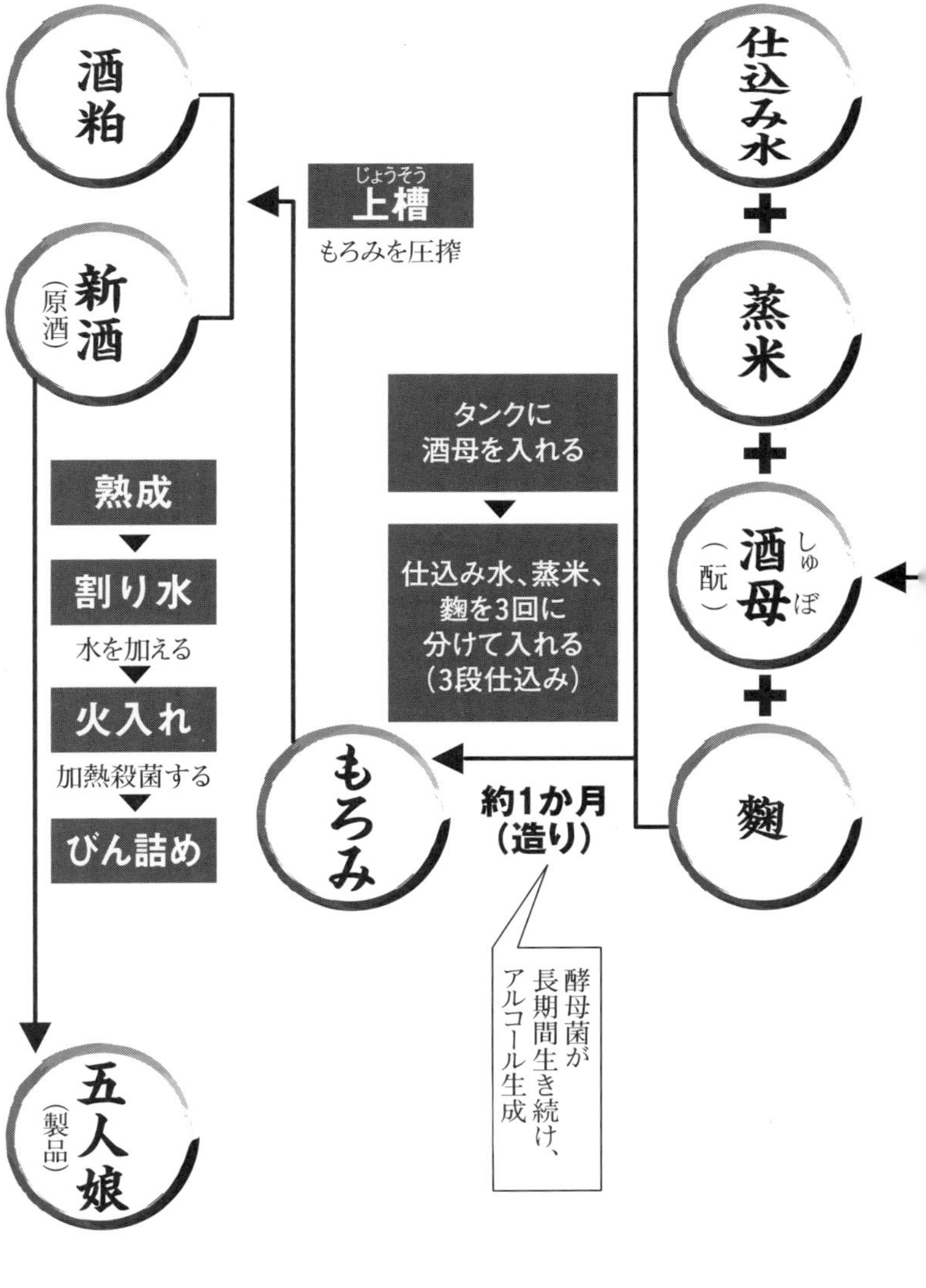

仕込み水
蒸米
酒母《しゅぼ》（酛）
麹
タンクに酒母を入れる
仕込み水、蒸米、麹を3回に分けて入れる（3段仕込み）
約1か月（造り）
酵母菌が長期間生き続け、アルコール生成
もろみ
上槽《じょうそう》
もろみを圧搾
酒粕
新酒（原酒）
熟成
割り水
水を加える
火入れ
加熱殺菌する
びん詰め
五人娘（製品）

の乳酸が急激に薄められてしまい、雑菌が増殖してしまう。そうなると酵母の働きも弱められてしまうので、「三段仕込み」というやり方をするのだ。こうすると、徐々に酵母の生育の場を広げられ、酵母の優位性が保たれるのだが、酵母を育てるのも容易ではないことがわかるだろう。

　もろみの中では麹の力によって蒸米が次第に糖化されていき、その糖を酵母菌が食べ、発酵してアルコールを産み出していく。この発酵法は糖化と発酵を同時に行うことから「並行複発酵」といわれ、世界的にも珍しい技法なのだが、この二つのバランスを管理することが大事だ。杜氏にはもろみの温度や泡の出具合、香りなどの観察と細かい調整が要求される。

　もろみのタンクに仕込んでから三日目くらいで、ブクブクと泡が出てくるが、これは酵母菌がアルコールを作り出している証拠だ。この泡は、七日目くらいになると、泡消し装置を使用しなければならないほど出てくる。そして一〇日目くらいから泡の発生がおさまってきて、二〇日以上たったあたりで、もろみの完成となる。

　これを見ていると、発酵というのは変化の連続だなあと思う。変わるから腐らない。逆にいえば、変わらなければ腐るということなのだと。

　さていよいよ最終段階の、「上槽」や「搾り」といわれる作業に入る。仕込みを終えたもろみは、圧搾して生原酒と酒粕に分けられる。搾りたての生原酒はコハク色をしていて、炭酸ガスが残り、しゅわっとした口あたりが新鮮で、麴の香りも強く残っている。その後、濾過、火入れ（殺菌）を経たうえで貯蔵されるが、生酛造りによる酒は酸が強いため一年ほど熟成させ、味のバランスがとれた頃に出荷される。

　こうやって自然の恵み、生命のエネルギーを最大限に生かすような酒造りを始めて気づいたのは、酒造りの張本人、微生物たちの働きぶりだ。私は、目に見えない微生物たちに支えられてこれまで生きてこられたのだった。

第6話 微生物が持ち味を発揮するのは？

無農薬無添加の酒が受け入れられない

いよいよ、自然酒『五人娘』を売り出すときがきた。が、この酒は、これまでのような売り方をするわけにはいかない。日本酒の人気が下がってからというもの、本当にひどい販売実態だったのだ。

我々の業界には、「十三《とうさん》」という嫌な言葉がある。要するに、一〇本売るときに、取引業者がサービスで三本を要求してくることをいう。取り引き条件といったほうがいいだろう。最初のうちは二本を要求してくるくらいなのが、そのうち物足りなくなって、「三本つけろ」と言ってきて、ついには「十三」だ。

「十三」イコール「倒産」を意味するわけで、そういう酒造りになってしまったら、その酒蔵は危険だといわれていた。けれども、一〇本の値段で一三本を売るようなことをしてでも、酒を売っていかなければならない現実が、その頃のうちの蔵にはあった。

速醸で造った偽物の酒、売れない酒が、蔵には山ほどできあがっている。それを少しでも金にしなければならなかった。たとえ「十三」でも引き取ってもらえるだけまし、といった状況だったのだ。

当然のことながら、そんなことを続けていてもちっとも儲かってはいかない。いつのまにか、小さな蔵が何億円という借金をかかえてしまった。バブルがはじける前の銀行がどんどんお金を貸してくれたということも、借金を膨れさせた原因ではあるが。

「こういう酒造りをいつまでも続けていたのでは、ダメだ！」と、方向転換して造った自然酒『五人娘』なのだから、もう「十三」はごめんだ。

そんな思いで、『五人娘』の発売日を迎えた。ところが、これが地元でぜんぜん売れない。いきなり「無添加の酒を造りました」「無農薬米で造りました」と言っても、だれも相手にしてくれない。今から二〇年前といえば、自然食がごくごく一部のこだわりの深い愛好家のもの、という位置づけだったような時代なのだ。無理もなかった。

赤字がさらに上のせされ、銀行からは、「そんな原料もコストもかかるような酒造りをして、経営が成り立つか」と言われた。経営コンサルタントからも「こんな状況では、どんどんおかしくなってしまう」と警告があり、さらに酒の専門家からは、「そんな酒を造っていたのでは、蔵ごと腐ってしまう。そうしたら、蔵がつぶれてしまうじゃないか」と猛烈な反対に会った。取引業者には、「おまえのところとは、もう取り引きしない」とまで言われたこともある。

けれど、私の『五人娘』にかける思いは変わらなかった。この酒のよさがわからない人もいるだろう。わからない人に無理にわからせようとするのも、おごりというものだ。「うちの娘のよいところを、本当にわかってくれる人に、この娘は嫁がせたい」。私はそんな気持ちだった。

『五人娘』のよさを理解してくれる人を探そう。喜びと満足を感じて飲んでくれる人たちが、きっといるはずだ。そう気を取り直して、私は新しい販売ルート探しを始めた。

酒作りの立て役者は、たくさんの微生物

『五人娘』のよさとは？　今までの酒と大きく違うところは？　原料を変えたことで、手間のかけ方を変えたことで、得られたものは？　それは、製造の全工程を通して働いてくれる自然の大きな力、強い生命力だ。

長い間、酒は杜氏《とうじ》たちが造っているものだと思っていた。実際、手間ひまかけて、並々ならぬ苦労で製造にあたってくれているというのは事実なのだが、実は酒造りを行っている張本人は別にいた。それは、酒蔵に住む微生物である。自然にまかせて酒を造ってみて、私は初めてそれに気がついた。

微生物とは、顕微鏡を使用しなければ見ることができない、小さな生き物の総称なのだが、実にいろいろな仲間がいる。病気を引き起こすウイルスや、細菌ともいわれるバクテリア。O‐157などはこれだが、こんなマイナスイメージの微生物ばかりではない。

ヨーグルトやチーズ、ぬか漬け作りで活躍する乳酸菌や、みそ、しょうゆ作りで

活躍する麹カビ、パンを発酵させる酵母菌、納豆を作る納豆菌などなど、発酵食品の立て役者は微生物たちだ。

　もちやパンにつく目に見えるカビも、微生物が集まったものである。さらに忘れてはいけないのが、人のおなかの中にいる大腸菌などの腸内細菌だ。私たちの皮膚だって、微生物たちがガードしてくれているという。ずいぶんと、微生物のお世話になっているんだなあ。

　なかでも、造り酒屋の自分がいちばん恩恵を受けているのが、酒造りの行程で活躍してく

黄麹菌を蒸した酒米にふりかけている杜氏。

れる微生物たちだ。麹米を作る際に蒸米《むしまい》にふりかける麹菌、次の段階の酒母《しゅぼ》造りで最初に登場する硝酸還元菌、その後自然発生してくる乳酸菌が乳酸を生成し、タンクの中を酸性にするわけだ。乳酸菌や酵母菌など、微生物たちのたくさんの生命《いのち》のおかげで酒は造られていく。

酵母菌のみによって造られるビールや洋酒と違い、日本酒はいろいろな菌がかわるがわる働いて造られるところがおもしろい。本来の日本酒のもつ深い味わいは、だからこそできるのだろう。

その味わいの基になっているのが、微生物が醸《かも》しだしたものなのだが、微生物の分泌物のなかにはいろいろなスグレモノがある。アミノ酸、有機酸、多糖類、ビタミンなどの生理活性物質である。この物質は体の細胞を甦らせるような働きをする、いわゆる抗酸化物質で、体の酸化を防ぐ、体をさびさせない物質である。なんとありがたいことだろうか！

いろいろな微生物が参加してできた酒には、たくさんの生命が宿っている。だから杜氏たちがしていることは、微生物が力を発揮できるように手伝うことなのだ。ではどうしたら、存分に力を発揮してもらえるのだろうか？　微生物に働いてもらうのに、必要な条件とはいったい何なのだろうか？

微生物の働きは「エサ」と「棲み家」で決まる

いい酒を造るには、微生物にいい働きをしてもらうことが肝要だ。ではそれを決定する要因は何か。私が出した答えは、微生物の「エサ」と「棲み家」である。おいしいエサと心地いい棲み家が、微生物に持ち味を発揮してもらうにはどうしても必要なのだ。

酒造りの工程における微生物のエサは、「米」と「水」である。これはだれがなんといっても、自然の米と自然の水がいちばんいい。農薬や化学肥料を使用しないで栽培された米で酒を造ると、そうでない米で造った酒とは微妙に味の違いが出る。長く複雑な発酵の経過をたどったあとであっても、原料の無農薬米の甘みが残っているのだからスゴイ。まさにこれは、微生物にいいエサが与えられた結果なのだ。そう私は思っている。

そして微生物にとって心地よい棲み家を作ろうと思ったら、酒造りの手法を根本的に変えることを考えなければならない。

繰り返しになるが、日本中のほとんどの酒蔵で行われている「速醸造り」では、酒母造りの初期段階で、石油から作られた合成乳酸を投入する。こうすると乳酸の働きで雑菌はみな死滅し、安定した酒造りができるというのが使用される理由だ。蔵ごと酒を腐らせるのが怖いからなのだ。

でもそうなると、微生物の棲み家としては快いとはいえなくなる。だからその後もコハク酸を入れたり、協会酵母を入れたりして、人工的に発酵を進めるようなことをしなければならなくなったのだ。

こういった蔵は、塩素を使った殺菌消毒にも血道をあげている。一年に一度やってくる保健所の徹底指導のたまものかもしれないが、保健所の安全基準に適合するということは、蔵に住みつく微生物を殺していくことになってしまう。酒蔵というのは、本来菌をいかに育てていくかが大切なところだったというのに、今の保健所の指導はまったく逆をいっている。

あるとき、その指導どおりに殺菌消毒した蔵で、うちのような自然酒造りを試みたことがあった。けれど蔵に微生物が住んでいないわけだから、当然発酵はしなかった。酒になっていかなかったのだ。そこで、うちに「硝酸を貸してくれ」と言ってきた。その蔵には、殺菌消毒によって、硝酸を作る硝酸還元菌がなくなっていたのだ。

でも、うちの蔵には硝酸も乳酸もない。酒造りにケミカルなものはなにも使って

酒母室作業

いないのだから、求められてもあげられる硝酸などもともとないのだ。
殺菌消毒を丁寧にした蔵は、菌のバランスが崩れてしまっている。それはとりもなおさず、発酵のための「場」が成り立たなくなったということだ。そんなことに精を出さなくても、昔ながらのやり方で、普通にきれいにしていればいいのに。

実をいうと、発酵のための環境を整えるのには、もっと大きな影響を及ぼすものがある。それは人間の「言葉」や「意識」である。本当のところ、私はこれがいちばん大事だと思っている。不思議なことだが、プラスの言葉を使ったりプラスの意識をもつのと、マイナスの言葉を使ったり、マイナスの意識をもつのでは、場というか環境はいかようにでも変わっていく。

プラスの言葉や意識とは、「うれしい」であったり、「楽しい」であったり、「ありがとう」であったりする。反対にマイナスの言葉や意識とは、「この野郎」であったり、「バカ野郎」であったり、「どうせ自分なんか」というものである。

温度や湿度など、物理的に同じ条件であっても、造り手によってぜんぜん違う酒ができるし、たとえ同じ造り手であっても、そのときどきの感情によって微妙な違いが酒には出てしまうのだ。

だから私が酒を造る場合、私以上の酒はできない。自分が偽物であれば、偽物の酒しかできない。どうあがいたって、その人以上の酒はできないのだ。

「儲けよう」「利益を得よう」といった意識と、「みなさんのお役に立つように」といった意識では、まったく違う環境が生まれ、それに呼応するように微生物は働いて、まったく違う酒ができるのだ。

第7話 生命ある食べ物をいただく

運命的なマクロビオティックとの出逢い

せっかく娘が嫁入りするのだから、喜んで売っていただけるところとつながりたい。そうはいっても、『五人娘』のよさを理解してくれる取引先はなかなか見つからなかった。雑誌で株式会社「片山」の片山雄介《かたやまゆうすけ》氏の記事を読んだのは、ちょうどそのころだった。

「片山」は、酒や調味料などの醸造食品の卸販売を行っていたのだが、片山氏は販売事業だけでなく、有機農業と醸造文化を結びつける事業を進めていた。日本酒や焼酎、ワインなどの開発にも携わっていて、「本当の発酵と醸造というものを展開していこう」と酒屋に呼びかけ、啓蒙しながら販売をしていた。商売一筋できた私から見たら、「商売のようで、商売じゃないようなことをしているなあ」というのが正直な感想だった。

片山氏は、一九八九年に日本の伝統的な農と醸造文化の継承を目指し、二一世紀の生き方、暮らし方を探るネットワーク『和蔵会《わぐらかい》』を設立している。一次生産者、メーカー、流通、販売、消費者、農家、都市生活者などと、それぞれの立場を越えた提携、交流を深めていた（『和蔵会』は、二〇〇〇年に発展的に解散）。

発酵と醸造という視点で食文化を捉え、本来の物を生産する人を見つけて育てている片山氏なら、きっと『五人娘』のよさをわかってくれる。そう思った私は、すぐに会いに行った。

そのときの私の表情といったら、「助けてくれ」と言わんばかりだったのだろう。実際私の心境は、「これでダメなら、死ぬかもしれない」というくらいで、まさに命がけの懇願だった。

そのとき片山氏には、なにかピンとくるものがあったのか、それとも私の悲壮感にほだされたのか、味見もせずに「一緒にやっていきましょう」と言ってくれた。ともかく、おかげで『五人娘』は自然食品店を中心に売っていく販売ルートができた。「発酵や醸造に関心の深い人たちが、きっとこの娘を買ってくれる」。緊張感がふっと切れ、全身から力が抜けていった。

その後私は『和蔵会』に入り、片山氏が企画する学習会に参加して、いろいろなところに出かけていくようになった。その集まりで、あるとき妙な料理を作っている人がいてびっくりした。

ごはんは茶色い玄米で、あわ、ひえ、きびなどの雑穀がおかずに使われている。あとは野菜料理で、肉や魚がまったくない。味つけも、一般的な食事とはまったく違う。これが、片山氏も実践している「玄米菜食＝マクロビオティック食」というものだった。

食の乱れは病気や不幸をもたらす

『和蔵会』の集まりで、玄米菜食の料理を作っていたのは、大谷ゆみ子さんだった。大谷さんは、体と地球の元気を同時に取り戻すという「未来食」の提唱者で、雑穀

を主役に、野菜、海藻、海塩や発酵調味料などを使って独自のメニューを展開している人だった。料理には、肉類、魚介、乳製品、卵、砂糖、化学調味料などが一切使われていない。

この動物性食品や甘味料などを排除した、穀物と野菜主体の食養法は、東洋の陰陽論を根幹にして、故桜沢如一《ゆきかず》（一八九三〜一九六六年）が提唱した「マクロビオティック」という考え方に基づいているものだった。

目に見えないものを非科学的だと切り捨ててしまった近代化学の到来とともに、食べ物も本来の生命力を失い、偽物が大手を振って歩く時代になってしまった。私の酒造りはそんな時代に抵抗しようとするものだったので、「自然の摂理」に従い、生命《いのち》ある食べ物をいただくという食事法には、出会うべくして出会ったような気がしてならない。

本来の食べ物を食べていくことで、本来の人間に戻ることができる。それは、自分が追い求めていることにほかならなかった。

人間も自然界の一員なのだから、自然の仕組み、掟のなかで生かされている。ここではみ出しては生きられないことになっているのに、ついつい人間というものは、自然の仕組みを人間の力で作りかえようとしてしまう。そんなことを無理にし続けてきたから、いろいろな間違いを起こしてきたのだ。

昔の日本人は、その土地で採れた旬のものをありがたくいただいていた。たとえば大根なら葉っぱまでいただいて、そのもの全体を食べていた。マクロビオティックでは、このようにそのものをまるごと全部いただくということを、「一物全体食《いちもつぜんたいしょく》」と呼んでいる。精米をしない玄米を食べるのもそういった意味があるが、なによりも玄米は蒔けば芽が出、一粒が千にも万にもなるというところに、生命力の強さを感じる。生命の宿った穀物が、昔の日本人の体を強くしていたのだ。

農薬や添加物の普及やインスタント食品の発達、肉食偏重の欧米食、次々と発売される新しい菓子や清涼飲料水による糖分過多、コンビニやファミリーレストランの増加……と、日本人の食卓は、いつのまにか五〇年前とはすっかり様変わりしてしまった。

そういった食の乱れは、多くの病気や不幸をもたらしてきたといっても過言ではないだろう。そしてそれは、時代を追うごとにますます拡大してきている。

なにより心配なのは、子どもたちの体と心だ。子どもたちの骨がもろい、骨折が増えたといわれてからそう時間がたたないうちに、今度は高脂血症や糖尿病がみられるようになった。九八％の小中学生に、すでに動脈硬化の兆候が現れているともいわれている。恐ろしい時代になったものだ。

間違った食事は体の健康だけでなく、心の平安をも奪ってしまう。「疲れた」「だるい」と倦怠感をうったえる子どもたちは、年々増える一方だという。プッツンとキレて、何をしでかすかわからない状態になる、そんな攻撃的な感情の変化も飲食物に原因があると分析されている。さらに大人たちに蔓延《まんえん》しているうつ症状が小学生に起こっているというのも、食との関連性が指摘されているのだ。

だからといって、そんな事態を憂いていてもしかたがない。自分にできることはしていこう。そう思って、一六年前から学校給食にかかわるようになった。地元で採れた野菜を優先的に使用するようにしたり、五食のうち四食を米食にしたり、食器を磁器に変えたり。少しでも子どもたちの食を変えていければという思いでやってきた。

今でこそ「食育」の重要性がいわれるようになってきたが、私が給食委員になった頃はまだそんな時代ではなかった。明治の頃は、知育よりも徳育よりも、体育よりも、なにより「食育」がトップにきていたというのに、その順位はいったいいつから転落していったのだろうか。

その転落劇の元凶になったのが、日本中を魅了していった欧米型食品産業による食事であることは明白だ。けれど欧米の状況をみれば、日本よりもずいぶん早くから食に対する危機感が感じられ、警告がなされていたのだ。

それは、現代人の病は「食原病」であることを明らかにした『マクガバンレポート』である。一九七七年にアメリカで発表されたものだが、そのタイトルは、「今の食生活では、早死にする」というショッキングなものだった。

同レポートは、高カロリー・高脂肪の食品つまり肉・乳製品・卵といった動物性食品を減らし、できるだけ精製しない穀物や野菜・果物を多く摂るようにと勧告し、最も理想的な食事は、元禄時代以前の日本人の食事、つまりごはんを白米にする前の食事であることが明記されている。

これは大変なことになった。当の日本の地では、伝統食などほとんど失われつつあるというのに……。

日本の伝統食と「菌食」のすすめ

片山氏や大谷さんとの出会いをきっかけに、わが家のマクロビオティック化は急速に進んでいった。妻は片山氏に紹介してもらった東城百合子さんの料理教室に通って最終コースまで学び、何年か後には、次女が大谷さんの経営する「アトリエ風」という雑穀主体の自然食レストランに勤めるようになった。

東城さんは、自然食を主とした健康運動に力をそそいできた人で、『家庭で出来る自然療法』（あなたと健康社刊）の著者として有名だった。

家の食卓に肉や魚が出てこないようになると、頭ではマクロビオティックのよさをわかっていても、物足りなさを感じるのはいなめない。けれどそうこうするうちに、不思議なことが起こってきた。あんなに肉好きだった私が、肉を食べられないようになってしまったのだ。

蔵見学の参加者たちで、マクロビオティックの昼食。

やがて気がついてみると、まったく病気と縁のない体になっていた。医者や薬の世話になったのは、三五歳のときの腸の病気が最後で、二三年間一度も病院に行っていない。これが私だけのことではなく、マクロビオティックの食事に替えてからというもの、家族全員が病気知らずになり、薬が使われることが一切なくなった。肉食生活をやめたことで、免疫力が高まったのだ。

『マクガバンレポート』でも、肉食中心の食生活に対して問題を指摘していたが、動物性タンパク質は、腸の中の微生物のバランスを崩してしまうとんでもないヤツだった。つまり発酵菌が優勢で、腐敗菌とバランスをとっている健康的な状態を、腐敗菌優勢の状態にしてしまうのだ。この状態は、発ガン物質の発生や免疫力の低下につながる。いや、こわい、こわい。

それに、あまり知られていないけれど、砂糖も腐敗菌を増殖させる働きがあるという。人間にとって不自然な物を体に入れれば、微生物はそれを異物と感じ、腸内のバランスを崩していくのだ。そして腐敗が起こり、異常発酵が肉体を老化させてしまい、いろいろな病気を引き起こしていくというわけだ。

微生物のバランスが整えば、腸内発酵は活発になる。そうすれば、ひとりでに排泄機能が高まり、毒素が分解消去されるので、血液も浄化され、血管の汚れが掃除されていく。

ではどうすれば、腸内の微生物バランスを整えられるのだろうか。

一般的には、微生物の働きでできた発酵食品の摂取が肝要だといわれているが、それを私は「菌食」と呼んでいる。

朝食はパンとコーヒー、昼食はカレーライスかハンバーガー、夕食は肉料理といった食事では、発酵食品が体に入りようがない。せめて朝食だけでもごはんとみそ汁、ぬか漬けかたくわんといった食事に戻してほしいものだ。みそ汁には、日本の伝統的な発酵食品の代表選手であるみそが使われ、ぬか漬けやたくわんも優れた発酵食品で、いずれも微生物の働きでできた生命力あふれる食べ物だ。

長寿村として名高い山梨県の棡原《ゆずりはら》地区では、昔から自分の畑でとれた野菜、穀物をよく摂り、粗食であったことが長寿の大きな要因とされている。そこは、米と大麦の麹を発酵させて、その液で小麦粉を練る酒まんじゅうが食されてきた地である。しっかり「菌食」がなされているじゃないか。

世界に目を向けば、パキスタンのフンザが長寿の里として有名だが、ここの人たちの食事は、昔も今も玄麦パンを主食とした菜食だ。うちの蔵にフンザから一人の青年が来たことがあるが、酒母室で発酵途中の泡を味見してもらったところ、「これと同じものを、フンザのどこの家でも飲んでいる」と言った。なんと、フンザの人たちは、穀類の発酵飲料を飲んでいたのだ。やっぱり「菌食」だ！

桐原にしてもフンザにしても、穀物菜食プラス発酵食品といった食事をしているというのは、たいへん興味深い事実であった。やはり伝統食や菌食が腸内の微生物のバランスを整え、体を健康な状態に保って長寿につながるのだ。

給食委員会では、「日本の伝統食を見直そう」と提唱してきているが、どうしても今の子どもたちには浸透していかない。牛乳一本槍の食事ではなく、みそ汁や梅干しなどの伝統食を取り入れようと提案しても、なかなか給食のなかには入らないのだ。

三人に一人がアレルギー疾患をもつといわれる現代っ子の食事は、伝統食、菌食という観点から見直していく必要があると確信するのだが。

第8話

微生物をお手本にして

競争をしない、儲けない商売に

うちの蔵が高い米と高い人件費に切り替えたとたん、銀行からも経営コンサルタントからも、酒の指導者からも「そんなやり方で、経営が成り立つわけがない」と非難ごうごうであった。でも私にしてみれば、それほど不安があったわけではない。「ダメならダメでいいんだ」。覚悟はできていたというか、ある意味であきらめがついていた。

ところが、片山雄介氏との出会いをきっかけに、自然酒『五人娘』は、発売一年目で「手応えあり」というところにこぎつけることができた。そして三年目には、売り上げも順調になり、軌道にのってきたのだ。

ああ、わかってくれる人がいた。「百薬の長」の再現を目指し、みんなに喜んでもらうお酒を造ろうという思いでやってきたことが、本当に理解されたのだと思った。うれしかった。「捨てる神あれば、拾う神あり」とはこのことなのだと。『五人娘』は、宣伝もせず、営業すらまったくしないで売っていた。利潤だけを追求してきた今までの販売姿勢を捨てた私は、競争をしないこと、商売を大きくしないこと、儲けないことを念頭に、ただ売ってほしいという人たちに酒を届けることに徹していた。

経済の進歩発展の源は競争だということが常識なのはわかっていたが、もう私はその常識に従って仕事をしようとは思わなかった。私利私欲を捨てることを決め、自己流の生き方を選択したのだから。

そして、不思議な縁の導きで奇跡は起こった。『寺田本家』を支えてくれる人々が、次から次へと現れてきて、日を追うごとにその数は増加していったのだ。株式会社「片山」の販売ルートで、自然食品店から『五人娘』を購入してくれたお客さんが、近所の酒屋さんに注文をしてくれ、そこからうちに問い合わせが入る、というようなことがあちこちで起こってきた。こうして、採算などとれるはずがないといわれた商売が、徐々に成り立ってきたのだ。

自分が納得する酒造りをし、競争をしない、儲けない、そんな商売をするようになったのは、よくないと思いながら偽物の酒を造り、勝つことしか興味がなかった末に、自らの体を壊したことがきっかけだった。でも実は、「自分に快いことの選択」「競争よりも共生」ということを、酒蔵で働いてくれている微生物たちに教えられたからである。これは、微生物たちに学んだ姿勢、自然に学んだ姿勢なのだ。

微生物たちは「自分好き」

昔ながらの無添加の酒造りをしてみて気づいたことは、多種多様な微生物たちが次から次へとバトンタッチをしながら、思う存分働いてくれているということだった。酒母《しゅぼ》造りの段階で硝酸還元菌が出てきて亜硝酸を造り、次に来る乳酸菌が働きやすい場を作ってくれる。そして乳酸菌が出てきたら、ひとりでに乳酸を作っていくのだが、一般的に行われている速醸造りでは、ここで人工の乳酸を入れる。本当は発酵のための場が整っていれば、乳酸は自然にできて、この乳酸の登場で雑菌や亜硝酸還元菌、乳酸菌は死滅してしまうのだが。

　そのあとに出てくるのが酵母菌で、これがアルコールを造りだして、お酒にしていく。これも、安定した発酵力をもつ協会酵母というものを投入するのが今では当たり前となっているが、それぞれの蔵に棲みつく酵母の働きで造る酒こそ、本当に

酒母用麹米

個性豊かな酒を造る鍵だと私は思う。

　さてこうして見てきたとき、なんとも感心するのは、微生物たちの役割を心得た見事な働きぶりだ。一匹一匹が自分の出番になったら大いに働き、使命をまっとうして、役目が終えたらスーッと消えていく。そうやって次に来る微生物に、バトンタッチをしていく。実に鮮やかだ。

　それぞれはどこに棲んでいるのか、木造りの骨組みなのか、漆喰の壁なのか、それとも天井なのかはわからないが、みな心地よい居場所を確保して、自分の出番がくるのを待っている。そしてひとたび出番となると、思いっきり自分の持ち味を生かして、生命《いのち》をそこで燃焼しきる。

　それは決して嫌々やっていることではなく、微生物にとってそうすることが快くて、自分の好きなことをしている。そして、楽しく働いている。私には、そう感じられる。生命のおもむく方向へ、自ら進んで行っているのではないかと。

　きっとそうやって自分らしく生きることが、微生物にとっては自然なのだろう。まさに微生物というのは、本当の意味で自分のために生きている、「自分好き」なのだ。

　こうやって微生物の世界をのぞいているうちに、生命のおもむくまま、「自分にとって最も快いことを選択していく」ことが、実は自分を生かす最良の生き方なのではと思うようになってきた。

そんな法則が、実際にあるかもしれないと思えてならないのだ。ならば、酒蔵の微生物が自由に楽しんでいるように、人間も生きていけばいいのではないか。

私にとっては、従来の酒造りを続けることは快くないことの選択であり、自然酒を造ることは快いことの選択なのだ。儲けばかりを追って商売をしていくことは快くないことの選択であり、みなさんのお役に立つような酒造りを目指すことは快いことの選択なのだ。それが、自分の生命をよりよく生かす方法に違いない。

微生物たちに教えられるままに、商売のしかたを変え、生き方を変えてきた私は、ますます微生物の世界に惹かれるようになっていった。

微生物の世界は、仲よしの世界

酒造りの行程は、「いろいろな雑菌がいて、雑菌が亜硝酸還元菌にやられて、乳酸菌は酵母菌にやられて」と説明されるのが一般的だ。でも私は、この「やられて」という言葉を「バトンタッチ」と言っている。「やられて」というのは弱肉強食と

いう捉え方なのだが、それはちょっと違うと思う。私には、微生物たちがバトンをリレーしているように思えるのだ。

微生物たちは自分の出番になるとスッと出てきて、スムーズにバトンタッチが行われ、出番でもないのにでしゃばったりはしない。そんな謙虚さも兼ね備えているし、それぞれが相手を尊重しながら生きているのだ。「オレが、オレがの世界」ではなくて「調和の世界」がそこにはある。

微生物たちの世界は、強い者が弱い者を餌食《えじき》にしてしまう弱肉強食の世界ではなく、相互扶助の世界ではないかと思う。自分と異なるものや、嫌いなものを排除したりしないで、助け合い、支え合いながら仲よく生きているように見えるし、相手を陥れようだとか、蹴落とそうだとか、微生物たちは考えたりしないはずだ。争わない、比較しない。生存競争など、どこにも見られないのが微生物の世界であり、まさに生命の結び合いの世界なのだ。

いろいろな微生物が酒造りに参加することによって、生命《いのち》の宿った酒になるというのは、その現れではないかと思う。雑菌を排除し、さらに排除しながら、純粋な菌を培養した酒は、命のかけらもない「酒のようなもの」ができただけの話で、本当の酒ではない。微生物たちが喜んで働いてくれるからこそ、本物の酒ができるのだ。

そんな微生物の一匹一匹は、ひとたび出番が来るとまさに命がけで働いて、自分の使命、役割を果たすだけで、見返りなどまったく期待しない。まさに「与えっぱなし」だ。人間たちのように、金も地位も名誉もなにも求めたりしない。私利私欲など、どこにもないのだ。

「微生物なんだから、当たり前じゃないか」と言われれば、それまでだが、私は彼らの世界をのぞけばのぞくほど、感心させられる。謙虚な姿勢でありながら、自分らしく、楽しく、仲よく生きているようにみえる。

そこは大きな共生の世界、仲よしの世界、感謝と報恩の世界だ。本来自然界は、動物の世界も植物の世界も、そしてこの人間界だって、同じような仲よしの世界だったのではなかったか。調和と愛の世界だったのではなかっただろうか。

第9話 発酵場は、癒しの場

炭、水、空気を活用する「電子技法」

自然の力を活かした酒造りでは、微生物たちが活躍しやすいように「エサ」と「棲み家」を整えることが肝要だが、この棲み家とは、環境、場ともいえる。だから微生物が活躍しやすい棲み家にする、つまり蔵を発酵に最も適した場にすることが、私たち造り酒屋にとっては最も重要な課題となるのだ。

うちの場合、蔵の環境を大きく変えるのに貢献したのは「炭」だった。『五人娘』

の販売を始めて一年目のこと、電子技法というものの考え方や技術を普及させている中山一夫さんが蔵に来た。中山さんは、主に電子技法栽培という農法を農家に広めている人であった。

電子技法栽培とは、炭、水、空気を活用して土を健康にし、光合成の働きを高めて栽培する方法で、病害虫の発生しにくい環境で作物を健全に育てる農法である。土壌が健康であれば、農薬や化学肥料を使わない栽培ができるようになるそうだ。いや、そうだったのか。やはり場を整えることが、重要なのだな。

古くから日本人の生活のなかで使われてきた炭は、湿度を調節する機能や消臭効果、マイナスイオン効果、遠赤外線効果、電磁波防止効果などで、近年すっかり注目の素材となっている。けれど電子技法では、早くからこの炭が環境を整えるうえでの主役と考えられていた。

一〇〇〇度前後という高温で樹木を炭化させて極陽性化された炭の表面には、陰陽の引き合いで、自然とマイナス電子が帯電する。この炭を地中に埋めると、地電流（地中一メートルを走る微電流）からマイナス電子の供給を大量に受けやすくなるのだ。そうすると、その上の空間はマイナスイオンで満たされるというわけだ。なるほど納得がいく。

そういった炭の効用を顕著に見せてくれたのは、中国の湖南省で発見された約二一〇〇年前のマオタイ古墳であった。そこにあったのは死後四日くらいの状態で保存されていた遺体三体だ。そして棺が置かれていた大きな部屋を覆っていたのは、約五トンの炭だそうだ。

私は平成元年に現地に行ってみたのだが、人体の腐敗さえ炭によってくい止めることができたという事実に驚愕した。その遺体のうち五十過ぎの女性のおなかの中には、消化不良の瓜の種が残っており、夏に亡くなったとわかったそうだ。その種をまいたら、根が出て芽が出たという。

驚くべきは、その女性のおなかの中には回虫が生きていたという事実だ。着物も生活用品も、棺の中のものはどれも傷むことなく保存されていた。二一〇〇年もの間、そこは炭によって快適な環境が整えられていたのだ。

この炭を利用して、電子技法のもうひとつの主役である電子エネルギー水（電子水とも呼ばれている）が作られる。これは、水道水や地下水など飲料になる水に、マイナスの電子（マイナスイオン）を供給した水で、クラスター（分子集団）が小さく、水中に溶け込んでいる分子状の酸素（溶存酸素）が多い水である。

クラスターの小さい水は、動きが活発で、細胞組織への浸透力が強いという。電子技法栽培では、この電子水を田畑に霧散布するとともに、地中に炭を埋めたり、土壌に混ぜたり、空気の土壌送入をしたりして、土を健康にしていく。

こうした電子技法で栽培された農産物と普通に栽培されたものとを比較すると、根の生育が著しく違うのに驚かされる。収穫後も、いつまでもみずみずしさを保てるという点でも、ほかのものとは大きく差が出る。私は切り花二本を普通の水と電子水にそれぞれ入れて、実験を何回かしてみたが、その結果電子水につけた花は普通の水につけた花の倍以上長持ちした。

秋田の無農薬電子技法栽培を実践する稲作農家をたずねたときも、かなり驚いた。病害虫に強い、丈夫な稲のすばらしさは目をみはるものだった。「生命力のある米を作る」というのは、こういうことだ。強いエネルギーを、その稲から感じた。丈夫な米ができるのなら、人の体も丈夫になるかもしれない。そこで、まずは自宅で電子技法を取り入れてみようと思った。

備長炭を敷地に埋め、電子水を酒に使う

自宅の縁の下に、三〇〇キログラムの備長炭をまくところから始めてみることに

した。それからたんすの中、米びつの中、冷蔵庫の中、風呂場の中、と思いつく限りの場所に炭を配置した。飲用と料理用には電子水を使い、ごはんの釜やみそ汁の鍋の中にも炭を入れてみた。

不思議だ。食べ物、飲み物が確実においしくなった。保存していても、信じられないくらい腐りにくくなった。なにより、自分がますます元気になってきた。

こうして自宅で電子技法を活用したことによって確信を得た私は、一か月もしないうちに、この技法を酒蔵に投入していくことを決めた。

酒造り用には、電子水を使用することにした。そして蔵の敷地には、二〇メートル間隔で一四か所合計二〇トンの炭を埋設した。この作業は中山さんにお願いしたのだが、穴を掘ったところに粉炭と水を入れながら練り込んでいくような感じで入れていき、埋め戻していくというやり方だった。

なかでも、麹菌を育てるための麹室《こうじむろ》は、かなり特別にしてみた。床だけでなく、壁も天井も三六〇度すべて炭で覆うことにしたのだ。壁の厚みを三〇センチメートルにしてそこに炭を入れ、室の四方全部で五トン使って、先ほどのマオタイ古墳のごとくと思い……。

地球表面は地形の凹凸のために起こる変化により、場所によって磁力の強弱ができている。このことを磁場というが、炭は磁場勢力を高める性質があり、それが人や動物、植物、物質に好影響を与える。

一つ一つの炭には無数の非常に小さな穴があり、わずか一グラムの炭の内部表面積は、テニスコートの広さ（約三〇〇平方メートル）ほどもある。この内部表面（界面）に電子が集まり、地球が回っている限り遠心力で徐々に広がって、磁場勢力が広がっていくのである。

ここで集まった電子（マイナスイオン）は、すべての生き物や物質に還元される。

還元されれば、酸化現象が抑制される。今ではだれもが知るところだが、金属をさびさせる「酸化」という現象は、人体においては疲れやすい状態にし、老化を進め、病気になりやすくする。植物も腐らせるのが「酸化」だ。

だから逆に「酸化」が抑制されるということは、疲れにくい体になり、老化が抑えられ、病気になりにくくなって、食べ物なども腐りにくくなる、腐敗しにくくなるのだ。

ということは、酒蔵が最も恐れる腐敗型（酸化・崩壊型）の微生物は、炭で磁場調整した場所では棲みづらくなるということか。逆に有用な働きを持つ発酵型（抗酸化・蘇生型）の微生物にとっては、働きやすい場となるのだろう。

酒造りの初期に欠くことのできない乳酸菌は、増殖するときにマイナスイオンを必要とするので、炭のマイナスイオン効果によって発酵がスムーズになるということは、その証明といえよう。

酒造りでなにより大事なことは、微生物によい働きをしてもらうことなのだが、そのためには微生物の棲み家である「場」が居心地のよいことが最大の条件だ。その場が快か不快かによって、本来微生物がもっている力を発揮できるかどうかが決まってくる。微生物にとって快い場では、すばらしい発酵が始まり、不快な場では腐敗が始まる。

先人の知恵である埋炭は、まさに環境を整え、発酵に適した場を作っていく方法に間違いない。人工乳酸や協会酵母を使用しないで、蔵に棲む微生物の力で酒造りをする生酛《きもと》造りは、腐敗菌の増殖の危険性をはらんでいる製造方法でありながら、今までうちでは一度も腐らせたことがないのは、炭の力によるところが大きいのだろう。

自然界からの贈り物に、ただただ感謝するばかりだ。

古代の文献が、発酵に適した場を作る鍵だった

無農薬米を酒造りの原料にし始めたころから、蔵人をはじめ社員総出で米作りも始めた。もともと持っていた休耕田一町五反にもう一町買い足して、手探りの無農薬栽培を試みたのだ。

ところが実際にやってみると、暑い時期の草取りは半端な労働ではない。「除草剤は、農家にとって救世主だよ」と言った在来農家の気持ちがわかるような気がしたくらいだ。けれどそんな誘惑に負けず、なんとか手作業だけで二シーズンを乗り

きった。その後は合鴨や鯉に手伝ってもらうという除草方法を取り入れたりしてきたが、最終的にはデッキブラシを使用しての除草と、草の芽を食べてくれるカブトエビの投入が効果的であることがわかった。

電子技法栽培に出会ってからは、この田んぼにも炭を埋め、電子水も散布して、生命力の強い稲を育ててきたが、天候が不順でも、台風にあっても元気に育ち、良質な米が穫れる様を見るにつけ、炭のもつ還元作用の偉大さに感心してきた。

炭の力は本当にスゴイ！　発酵に最適の場を作りたくて、蔵に炭を使用してみたのだが、思いがけずそこで働く杜氏《とうじ》たちの体調や精神の安定にも好影響がみられるようになってきた。人間の生命全体にも、いい方向に働いてくれたのだ。

あとになって、この電子技法が、実は太古から密かに連綿と伝えられてきた「カタカムナ文献」と呼ばれる謎の古文書から得た知恵であることがわかった。筑波大学で農学を教える橘泰憲氏が教えてくれたのだ。橘氏は、近代農法を教えるなかで「カタカムナ文献」に出会い、目からうろこが落ちたという人であった。

「カタカムナ文献」というのは、物理学者の楢崎皐月《ならさきこうげつ》（一八九九〜一九七四）が、一九四九年に兵庫県六甲山系の金鳥山で入手した古文書で、今から三万〜五万年前の日本人が直感した、宇宙や物質の構造や生命の本質などが書かれている科学書である。

楢崎皐月は全国一万二〇〇〇か所余りの地電流を計測したのだが、電流方向が一定で電流値が高くなっているところと、電流方向が不安定で電流値も一定しないか或いは低くなっているところがあることを確認した。前者を楢崎氏は「イヤシロチ」と呼び、後者を「ケカレチ」と呼んだのである。

イヤシロチでは人や動物の健康状態がよく、農作物や草木の成育もよい。建物も長持ちする。工場での稼働率がよかったり、商売が繁盛しやすいといった現象まで起こるのだ。

反対にケカレチでは健康不良や病気が起こりやすかったり、ケガをしやすかったりし、作物は病害虫に弱く不作になりやすい。建物の傷みが早いという傾向もみられる。商売がうまくいかなくて店舗がコロコロ変わる店や、交通事故の多発地、河川の決壊が起こる場所などもだいたいケカレチなのだ。

「カタカムナ文献」が伝える、ケカレチをイヤシロチへと改善する技術こそが「炭の埋設」である。炭は電気伝導性が高いので電極の役割をなし、炭を埋めた場所は非常に誘電効果が高くなって、その結果地電流の流れがよくなるというわけだ。

炭は、生命力が奪われる場を、生命力の盛んな場に変える。人類を救う、奇跡の物質ではないか。

造り酒屋でいうと、イヤシロチは発酵しやすい場＝発酵場といえ、酒造りに関与する乳酸菌や酵母菌などの発酵型微生物が働きやすい場のことをいう。それに反してケカレチは大腸菌やウェルシュ菌など、腐敗型の微生物が増殖しやすい腐敗場である。

酒造りと、自宅での飲用や料理に使用していた電子水も、楢崎皐月が作った電子水製造装置を発展させていったものであることがわかった。それに麹室の天井に設置していたマイナスイオン発生器も、もともとは「カタカムナ文献」に端を発したものだった。楢崎氏もイヤシロチ化のために、竹筒を使用したマイナスイオン発生器などを作っていたそうだ。

橘氏との縁で、うちの蔵で製造された酒の元気のよさは、「カタカムナ文献」の叡智によるものと判明したのだった。古代の日本民族が残してくれた文明とその高度な技術の成果は、今という時代にありながら、米のでき、酒のでき、人の健康状態などで目に見えてわかるものとなっている。

まさに、驚異としか言いようがない。

第10話
自分をなくす心のあり方

人の下に自分を置く祈り

かつて自分の利益、会社の利潤と、お金を追い求めていた私は、壮絶な腸の病のおかげで目がさめ、さらに「相手の喜ぶことを、まわりが喜ぶことを第一に考えろ」と説いた常岡一郎氏との出会いで、「みなさんの役に立つ酒造り」へと方向転換をしてきた。

以来自分の都合ではなくて、飲んでくださる方がいつの間にか健康になっていく、楽しくなっていく、幸せになっていく、そんなお酒ができたらいいなあ、という思いで取り組んできた。「生命《いのち》が喜ぶような、本物の酒造り」だ。

ならばそのような酒はどうしたらできるのか、そう考えてみたとき、大事なことに気づいた。それは「自分以上の酒はできない」ということだ。では今の自分はどうだろうか？　とてもとても本物にはほど遠い、まだまだ自分も変わっていかなければならない。そう痛感したのだ。

病気をきっかけに、「自分とは」「生きるとは」といったことを真剣に考えるようになっていたこともあり、自ら求めていろいろな人、いろいろな場所に出会っていった。

平成二年くらいだったか、蔵を訪ねてきたインド人に案内されてインドに行ってきた。着いた翌日に大変な下痢になったが、三日後には元気になり、あとは何を食べても大丈夫になった。

案内人はプーネ大学の日本語教室で教える人だったので、ついて行ってみると、生徒たちがみんな「私の家に来てくれ」と言う。それで一〇軒ほど訪ねてみたが、どの家でも年寄りを大事にしているのに感心した。インドでは、老人のめんどうを見ている家が百パーセントだというのだ。

インドには、見えない世界を暮らしに取り入れている人たちが大勢いた。というより、みななにかしらの信仰をしているようだった。それがとても興味深く思え、一人でサイババのアシュラムに行ってみたり、いろいろな行者を紹介してもらって会いに行ってきた。

インドにはこのとき半月滞在し、二年してまた半月間の旅行をしたのだが、どこへ行っても感じることがあった。信仰のあるところに愛があり、愛があるところに平和がある。平和があるところに神があり、神があるところに自分の喜びがある。インドの人たちのこういった信仰心が、なにより日本とは大きく違うと感じた。信仰がないことが考えられない国であり、一人一人が幸福を求めているのだ。

インドで見えない世界に興味をもつようになった私は、その後静岡県三島市の龍澤寺《りゅうたくじ》という、白隠禅師によって開山された寺に行ってみた。そこには座禅に行ったのだが、かつてそこで修行していたという西田天香《てんこう》（一八七二〜一九六八）という宗教家のことを知った。

西田天香は、「争いの原因となるものは口にすまい」と決意して、三日三晩断食の籠坐の果て、赤ん坊の泣き声を耳にしたとき、「争わずとも恵まれる食がある」と、大霊覚したという。それは、無所有・路頭を原点としての懺悔・下坐の奉仕、許されて生きる「托鉢《たくはつ》」生活の始まりでもあった（托鉢とは、経を唱えながら家々の玄関に立ち、鉢に食物や金銭を受けて回ること）。

そしてこの無所有奉仕の生活に共鳴した人たちが集まり、奉仕と平和を祈る生活共同体である「一燈園」が開設されたのだが、現在も諸学校施設などをもち、多数世帯の大家族的生活が実践されている。

それまで、お金を、食べ物を、そしてさまざまな物を求めて生きてきた私にとって、それは想像もつかない世界だった。けれど、今の自分にとって必要な場所ではないかと直感し、早速京都にある「一燈園」を訪ねてみた。そこで出会ったのが、石川洋さんだった。

洋さんは、人の下に自分を置く「下坐の祈り」として、見知らぬ家を一軒一軒訪問し、便所掃除の行をしていた。私も洋さんについて行き、便所掃除をさせてもらったが、それは単なる掃除ではなく、自分を変える大きなきっかけとなった。

素手で便器を磨くのだが、この掃除によって自分が洗われ、きれいも汚いもない世界を知った。下坐になりきり、ただただ掃除をさせていただけたありがたさに感動し、「ああ、これだ」と確信した。

洋さんは、自分で自分を叱る言葉「自戒」として、次のような言葉を伝えている。

「つらいことが多いのは　感謝をしらないからだ
苦しいことが多いのは　自分に甘えがあるからだ
心配することが多いのは
今をけんめいに生きていないからだ
行きづまりが多いのは　自分が裸になれないからだ」

そして、「感謝にまさる能力なし」という言葉を私に教えてくれた。当たり前のことを、どう感謝につなげていくか。いいことも悪いことも、何があっても感謝につなげていくという生き方があるのだということを。

普通はいやなことに対して、感謝などとてもできない。けれど、病気でも事故でも失敗でも、どんな不幸もかつて自分がやらかしたことの償いだと考えると、悪い事が起こったことは自分がしてしまったことがチャラになったと考えられる。チャラにしてくれていることへ感動し、マイナスの出来事も感謝で受け止められる。「流す」ということができるようになって、すべてが「よかった、よかった」と思えるようになっていくのだ。

「感謝、感謝」といつも言っていた洋さんとの出会いで、「いつでも、どこでも、だれにでも感謝」なのだと気づき始めた。そうやって無限に感謝すると、問題が生じないということも、のちのちわかっていったことだ。

洋さんには、ハンセン氏病患者の国立の療養所がある瀬戸内の島にも連れて行ってもらった。ハンセン氏病はかつてらい病と呼ばれ、皮膚や末梢神経を侵す感染症で、外形的にあきらかな変形をするなどの障害を残す場合がある病気だ。現在では外来治療で確実に治癒する病気となっているが、当時の患者は隔離治療が必要とみなされていて、高齢となった今でも療養所での治療は継続している。

島で出会ったのは、病気のために家族と一生の別れを強いられ、何度も自殺をはかった末、それを乗り越えてきたという人たちだった。なかでも洋さんが念仏行者として尊敬していた田端明さんという当時八二歳の老人の話は、聞くも涙、語るも涙というものだった。

保健所の職員に島に連れてこられた田端さんは、家族から「二度と戻らないでくれ」「手紙は偽名で出してくれ」と言われ、夢も希望もなくしたそうだ。崖に立って自殺をはかろうとしたとき、母親の「生きるんです。死んではいけません」という声が聞こえ、思いとどまったという。

洋さんと島で過ごしたことは、生命の尊さ、生きることの意味を考えさせられる貴重な体験だった。

何ももたない暮らしで得られるもの

「一燈園」では、押田茂人さんという神父さんにも出会った。押田神父は、信州の八ヶ岳山麓で、大地を耕しながら修道生活をしている求道一筋の人で、その純粋さは、まるで子どものようだった。修道院を出て無行の行者として、無一物の生活を始めた押田神父は、自給自足の共同生活の場「高森草庵」を始めたのだが、そこでは祈りを根底にすえた農作業や瞑想が行われていた。そしてその草庵は、のちにあらゆる宗教の人々、宗教を超えた人々が訪れる場所になっていった。

神父の言葉「祈りの姿に無の風が吹く」は、著書のタイトルにもなっているが、祈りがなされたとき、風速で計れるものではない、分析できるものではないけれども、そこには大きな力が働き、人に、生きとし生けるものに影響を与える。そういう何かわからない風が吹いてくるということを、表しているのだと思う。

「無」について、神父の著書の中に、「名誉やお金によって動かずに、深みからきた息吹に誘われてだけ、生きる。深みからの光だけを味わう。こういうことをやっていれば無を生きている人」だと書かれている。「無になる。それには、いわゆる既製の人間的価値とか、理性的価値とかはなくなる」とも言っている。

何ももたない、本当の貧しさのなかでの祈りの生活、そしてその祈りのエネルギーのすごさに触れ、この頃から私は満たされていったような気がする。

その後、静岡県伊豆松崎町・安楽庵の村上光照さんというお坊さんに出会わせていただけたのは、本当にありがたいことだと思う。村上和尚は、かつて京都大学で素粒子論を学んでいて、湯川秀樹さんの弟子だったのが、勉強を進めていくうちに見えない世界に魅せられていき、生死の問題を明らかにせねばと、「禅」に出会っていった人である。その後、最後の不世出の禅僧といわれた、京都安泰寺（現在は兵庫県浜坂に移転）の澤木興道《さわきこうどう》老師の弟子となり、ひたすら座禅に打ち込んだ。

村上和尚は、本当の仏道を究めたいと思っている人だった。そのためには、「魂の喜びを求めなければならない」と言い、「誠の道を本当に楽しんでひたりきるのが、信仰だ」と考えていた。

「大切なことは、自分を見ることに尽きる。人を責めたりする暇なんてない。自分をよく見たら、むさぼる、腹を立てる、とらわれる、という煩悩ばかり。自分みたいなつまらないものに、何ができるかってことに気づく」。そして「自分を捨てきり、一切ないのが、本来の僧」なのだと言い、そういう心になれば、どこでも楽土になると言っていた。

実際、「宿無し興道」の直弟子だけあって、地球上をどこへでもというくらい飛び回っていた。そのたびに行ったところ、そこが、安楽日となっていたのである。どこへ行くのでも裸足にぞうりで、一見すれば、乞食坊主といった風情のこのお坊さんを訪ねて下田に行った私は、玄米と大根葉という質素な食事にもびっくりしたものだった。

「人を助けるんじゃない。助けさせていただく。ああ、ありがたい。ありがたい」。それまでのいろいろな出会いのおかげか、和尚のこの言葉も、スーッと私の心のなかに入っていった。見えない世界のことをたくさん教えてくれたこの和尚は、今でもときどきうちの蔵にみえるので、いつもその日を楽しみにしているのだ。

その後、鎌倉にいる太母《たも》さんと呼ばれるおばあさんにも会いにいった。その人は、菊池霊鷲《りょうじゅ》またの名を慧日《えにち》という仏教家で、ぽっくりを履いたかわいいおばあちゃんなのだが、『船を岸に繋ぎなさい』という著書がある人だった。あちこちで起こる戦争や紛争、環境問題や食の問題など、命が脅かされている危機的な状況に対し、その種をここで断ち切らないといけないと、呼びかけをしていたのだ。

太母さんは、「今までに悪い人と会ったことがないの」と言っていた。会う人すべてが太母さんにとってはいい人なのだと言う。「すべてがよかった」と言うこの人は、人を恨んだり憎んだりしたことはないのだろう。愚痴、不平、不満からいちばん遠いところにいる人なのだと思った。プラスの言葉を使ってきた人なのだと。

すっかりすべてを手放してしまっているような太母さんは、まさに自然のまま、あるがままに生きる人だ。石川洋さん、押田神父、村上和尚同様、私に「手放す」ことの重要性を教えてくれた一人であった。

持てるものはすべて吐き出す酒屋になる

腸の病気のあと一〇年間の出会いの中で私に強い影響を与えた、師と仰ぐ人々に共通するのは、自分をなくす生き方をしている「無私の人」であるということ、そしてみな暮らしは「質素」で、人格に子どものような「純粋さ」を持っているということだった。

物を持つとかお金を持つとか、そんなことにはまったく無関心の世界にいる。むしろ積極的に持たないことによって、生かされる世界があるということを知っている人たちだ。

その世界を赤ん坊と親の話にたとえて説明してみよう。

自然の仕組みというのがあって、子どもが生まれると、お母さんからはひとりでにおっぱいが湧き出てくる。決してそれは、赤ちゃんがおっぱいをせびる世界ではなくて、求める世界と与える世界が一致しているということだ。

子どもに与えたいという親の思いと、乳を飲みたいという子どもの願いが、そこで一緒になっているわけだ。これは要するに、取ろうと思わなくても与えられる世界があるということ、生かされる世界があるということなのだ。

その逆が、他人から取ることばかりを考えている世界、私利私欲の世界である。そのなかにあっては、不平不満、愚痴、文句が絶えることなく、トラブル続きで、本来進むべき道からははずれるばかりだ。

「持つ・つかむ・取る・放さない」によって、災いや苦悩、病気が引き起こされるのだ。一方、「与える・放す・つかまない・吐き出す」は、幸せにつながっていく。もっている知恵、力、お金、親切、思いやりといったものを、からっぽになるまで出し切れば、必要なものはひとりでに入ってくる。それが自然の循環というもので、それが宇宙の法則なのだと思う。

一〇年かけて、たくさんの人々との出会いのなかで、私はこういったことに気づかせてもらった。そして自分自身の生き方を変えていくうちに、少しずつ造り酒屋の商売も変わっていったのである。

「自分を後回しにする生き方をしていく」

「持てるものは、すべてを吐き出す造り酒屋になる」

それが、本当にみなさんのお役に立てる酒屋になっていく道だと確信したからだ。

第11話 古き叡智との運命的な出会い

驚異の玄米食体験、そして酒米への疑問

腸の壮絶な病気のあと、玄米を食べ始めたのだが、しばらく続けてみたら、私もまわりもびっくりするようなことが起こった。体の回復が、驚異的だったのだ。手術後半年もしないうちに、病気をする前の体よりもはるかに元気になってしまった。「これが玄米パワーというものか」。体の中から感じられる充実感に、本来の生理に合った食べ物が、心身の健康に重要な鍵となると直感した。

玄米は、精白された白米と違い、外側に食物繊維、内側に炭水化物、胚芽《はいが》の部分に抗酸化作用のあるビタミンやミネラル、そして体の毒素の排泄を促進するフィチン酸など、私たちの健康維持に不可欠な成分を多く含んでいる。さらに、腸内の菌バランスを整え、アドレナリンの抑制や血液浄化作用といった、体の酸化を抑えるのにも効果を発揮する食品だ。

でもなにより注目すべきは、玄米には、目に見えない「生命力」があるということだ。土に蒔けば、芽が出て根が出て、実になっていく。一粒が千倍にも万倍にもなる。これは、玄米が生命《いのち》を生み出していく力、そういう生命力をもち合わせているからであって、白米をいくら蒔いたところで、芽が出ることはない。

白米は酸化されたものであり、生命力がまったく失われてしまっている米である。「粕《かす》」という字が「白米」と書くことでもわかるように、昔の人はそのことを知っていたのだろう。本来必要な成分を精白によって取り除いてしまった白米というものは、ほとんど炭水化物でしかない。

われわれの業界は、なんとその白米をさらに削って酒を造ってきたのだ。削ったあとの米の、玄米に対する重量の割合を、「精米歩合」というが、家庭で食べている白米というのは、精米歩合でいうと九二％程度だ。米一粒の中で酒造りにいちば

ん必要なのは中央の「心白」といわれる部分なので、酒米はそこを大事にして削られ、通常の精米歩合は七五％以下である。普通酒には七三～七五％のもの、純米酒は七〇％以下のもの、吟醸酒は六〇～五〇％くらいのものが使われ、大吟醸となると五〇％以下に精米された酒米が使用されている。

なぜそこまで削るのか。それは米の胚芽や表層部に含まれるタンパク質や脂肪、灰分、ビタミンなどが、清酒の味や香りを悪くする、いわゆる雑味《ざつみ》が増すといわれ、一般的に「磨けば磨くほどいいお酒」だとされているからだ。だから全国新酒鑑評会で金賞をとりたい蔵元は、こぞって酒米の精白に力を入れてきたというのが近年の酒造業界なのだ。

けれども自らの食の体験から、「玄米は、スゴイ！　その見えない生命《いのち》をいただいて、自分は生かされている」、そう気がついた私は、削りに削った酒米を使用した酒造りに対し、次第に疑問をもつようになっていった。

どうしたら玄米を酒にできるか

玄米のもつ生命力を、なんとかして酒造りに活かしたい。そう思った私は、玄米を酒米にして酒を造ろうと考えた。

だが玄米は、精米歩合でいったら一〇〇％だ。それを原料とするなどということは、業界的に非常識極まりない発想である。いやいや、「自分は酒造りの素人なのだから、そんなことはおかまいなし」と開き直ろう、そう気をとりなおして玄米酒造りの実験を始めた。

ところがその取り組みは、最初から大きな壁にぶち当たってしまった。米麹を作るのに、玄米ではどうやっても麹菌が米の中に食い込んでいかないのだ。

前にも述べたが、米麹は、米を蒸してさましたのち、室温三〇度に保った麹室《こうじむろ》に入れ、カビの一種である黄麹菌をふりかけて、混ぜたり崩したりを何度も繰り返しながら、米の一粒一粒の内部まで菌を繁殖させて作る。つまり米の中に菌を食い込ませていくのだが、これを「はぜ込む」という。けれど固い皮で被われた玄米では、どうやっても麹菌が食い込んでいかない。はぜ込まないのだ。

そこで玄米を一〇％だけ磨き、九〇％精米の米を原料にしてみた。これならばなんとかはぜ込み、野趣あふれるなかなかの酒になる。地元の飲み手にも試飲してもらったが、好評を得るほどのものに仕上がった。

ところが、これではどうも自分が納得できない。「九〇％精米なんて、中途半端だ。一〇〇％玄米の生命力を酒にしたい」。

米の中に菌が食い込んで、麹米ができる。

紋袋

そこでさらにいろいろな実験をしてみた。そのひとつに、「口嚙《くちか》みの酒」というのもあった。

その昔日本にあった「嚙み酒」とか「口嚙みの酒」といわれるものは、人がごはんを嚙んで吐き出したものに水を加えて作った酒だ。それは、唾液の中に含まれるアミラーゼでごはんのデンプンが糖化され、自然に入った酵母菌によって発酵させた酒で、神社で巫女が嚙んで酒にしていたという。その嚙み酒から、「かもす」という言葉が出たとも聞いている。

酒造りにおける麴（＝米麴）の役目というのは、米のデンプンを分解して糖化することが主なのだが、これは麴に含まれるアミラーゼという酵素が働くからだが、嚙み酒は、このアミラーゼを唾液に頼ったものである。

実験では、男性一〇人のグループが嚙んで造った酒と、女性一〇人のグループが嚙んで造った酒を比べてみた。すると、女性グループが嚙んだ酒はとてもおいしく醸し出された。しかし、男性グループが嚙んだ酒は、なんと腐ってしまったのだ。

男の役割、女の役割というものが、やはりあるのだろう。この実験が玄米酒造りにヒントを与えたかどうかは別として、世の中に男と女が存在する意味を深く考えさせられる出来事であった。

伊勢神宮の古代酒の資料にヒントを得る

『五人娘』の販売でお世話になってきた株式会社「片山」の片山雄介氏が、『和蔵会』というネットワークを設立し、メーカーや流通、販売、消費者、農家、都市生活者などが交流を深めていたことは前に述べたが、その会の目的は、日本の伝統的な農と醸造文化を、二一世紀に向けて大切に継承していくということだった。

『和蔵会』の秋の定例交流会は、各地の神社で行われる「農と醸造の奉納の儀」というもので、平成九年一一月一一日には、伊勢神宮の参集殿でその儀式が行われ、私もその会に参加した。大鼓と神楽舞による奉納のあと、神宮会館へ場を移し、神社の方に神嘗祭《かんなめさい》（新米を最初に神様に捧げて感謝する行事）にそなえられる品物の生産について、詳しい講義を聴いた。

そしてこの講義に用意された資料のなかに、玄米酒造りの厚い壁を打ち破るヒントが載っている記事を発見したのだ。それは、一一月一〇日付の神社新報の記事だった。「ふたたび古代の酒を探る、外宮『火無浄酒《ほなしのきよさけ》』に秘められた謎」というのが、その記事のタイトルであった。伊勢神宮の外宮とは、豊受大神宮のことで、豊受大御神《とようけのおおみかみ》をまつっていて、この豊受大御神は天照大御神《あまてらすおおみかみ》の食物の守護神であり、農業をはじめ諸産業をつかさどる神とされている。

『火無浄酒』とは、古代においてこの外宮で供されていた神酒《みき》だったのだが、これは麹を用いない酒だった。米を水に溶かして砕いたものに、神域内にある神社の水を加えただけの酒だというのだ。

記事は、その酒の復元に挑戦し、みごとに成功させた岩瀬平元山口県農業試験場長の紹介だった。岩瀬氏は、熊本工大の上田誠之介氏に、「米のデンプンを糖化する力は、唾液のアミラーゼや米の発芽時のアミラーゼが最も強い。麦芽アミラーゼが及ぶどころではない」という助言を受け、確信をもって古代酒の復元に挑んだと書いてあった。

　上田氏は、『日本酒の起源』（八坂書房刊）の著者で、麹の酒「日本酒」誕生の陰に消えていった古代の美酒「芽米酒」を追って、新しい酒を造る試みを重ねながら、カビと麹と日本酒のつながりを、その著書のなかで解き明かしているという人物だった。

「発芽時のアミラーゼか。なるほど！　玄米を水に浸けて、発芽させればいいんだな」

　私は手を打って小躍りした。

第12話　微生物が快い方向を示してくれる

発芽玄米酒への取り組み

玄米酒造りの実験を始めてから四年目にして出会った、古《いにしえ》の神酒『火無浄酒《ほなしのきよさけ》』の造り方から、発芽玄米は糖化酵素を生み出し、その作用で麴米ができることがわかった。破られた皮から出た芽に麴菌を植えつければ、麴菌が玄米の中まで食い込んでいく、はぜ込んでいくのだ。

通常麴米は、酒米を蒸してから麴菌を植えつけるわけだが、発芽した玄米の場合は、二度蒸ししなければならない。それから菌の繁殖に適した温度にしてある室《むろ》に移し、広げて麹菌をふりかける。そして温度管理をしながら集めたり広げたりを繰り返して麹を育てるが、この作業も通常の酒造りの二倍の時間をかける。

「いい麹米ができた」。思いはかなった。ついに力強い玄米麹を、育てることができたのだ。

こうしてできた麹米は、酒母タンクに移し、新たに蒸した発芽玄米と仕込み水、そして製造途中までは培養した蔵つき酵母を加えて七〜一〇日間ほどかけてじっくりと発酵させていた。現在では天然の酵母菌がやってくるのを

水に浸けて発芽させた玄米には、生命力があふれている。

発芽玄米酒『むすひ』ができるまで

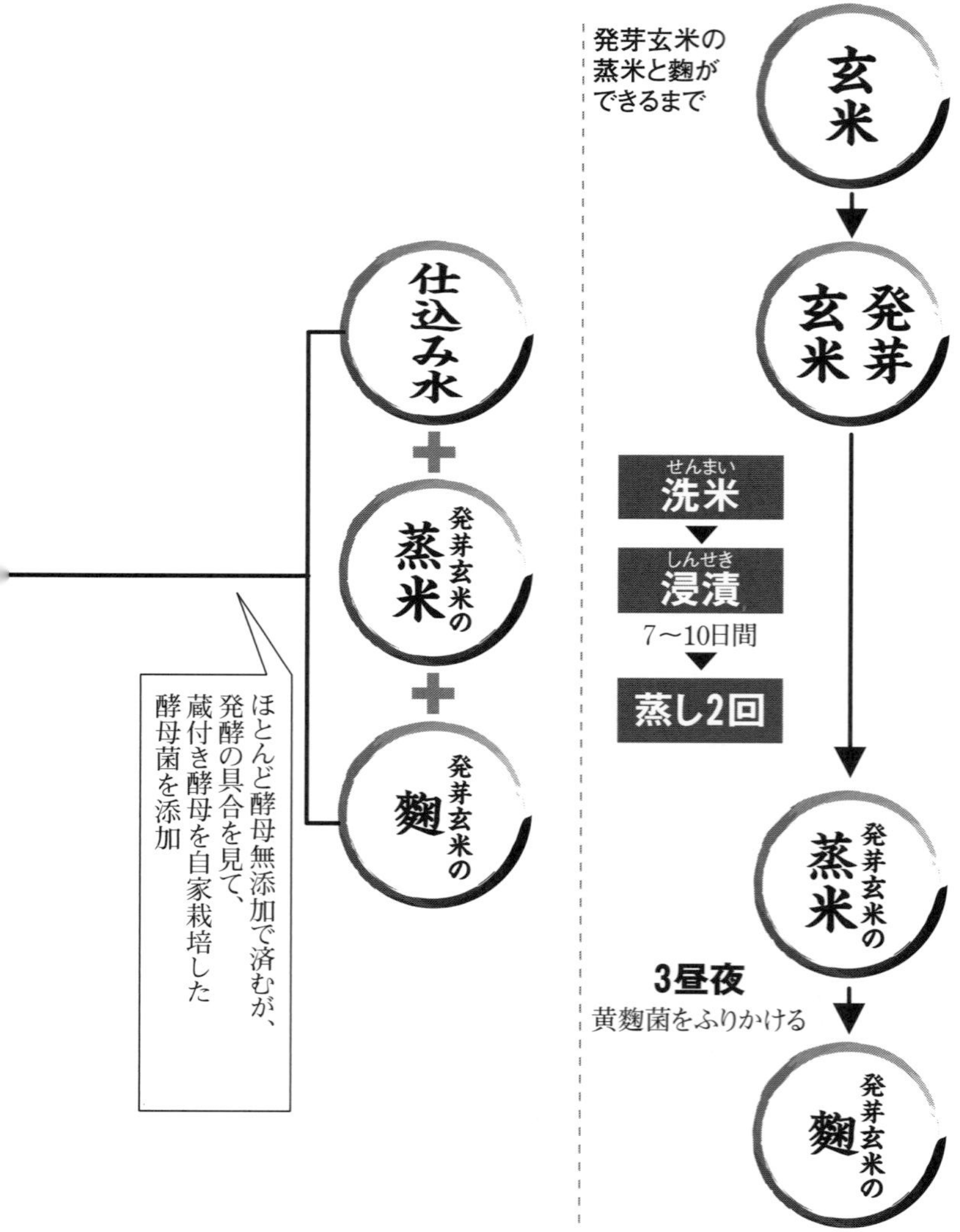

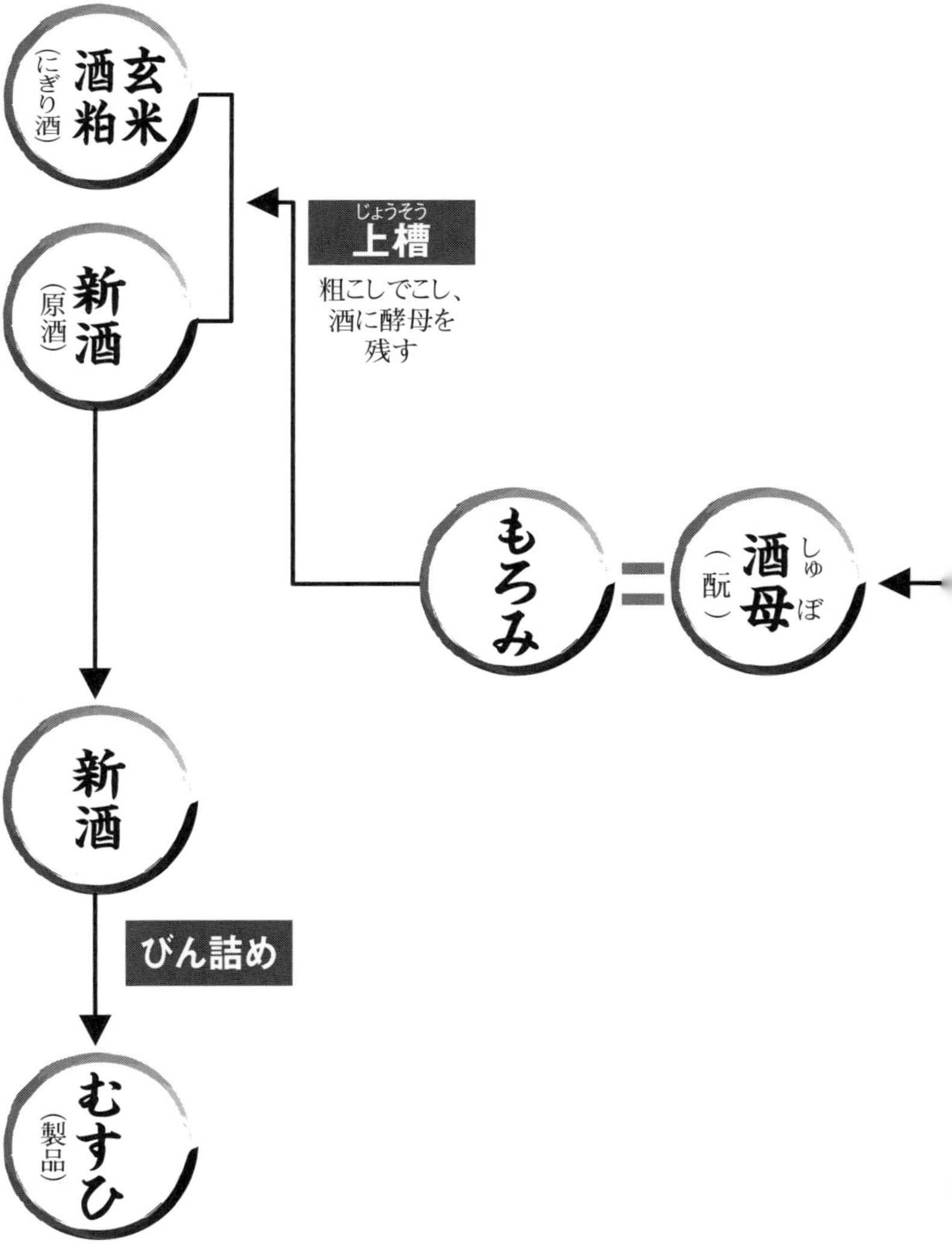

玄米酒粕
（にごり酒）
新酒
（原酒）
上槽《じょうそう》
粗こしでこし、
酒に酵母を
残す
もろみ
酒母《しゅぼ》
（酛）
新酒
びん詰め
むすひ
（製品）

待って発酵させ、もろみを造っている。『五人娘』では酒母《しゅぼ》造りに一か月ほどかかるが、発芽玄米酒の場合は、発酵が早いのが特徴だ。

玄米は精白米と違って脂肪やタンパク質が多く、胚芽の部分にはミネラルなどの栄養も豊富なため、菌にとっての栄養が普通より多い状態になるからだ。菌の働きがより活発になり、発酵しやすいというわけだ。

発酵段階で最も活躍するのが酵母なのだが、製造初期は財務省管轄の醸造協会から購入した標準酵母を使っていた。発芽玄米酒がいよいよ製品化されるというときに、宮下周平氏に出会わなかったら、うちの蔵も日本中の蔵同様、協会酵母を投入した酒造りを続けていたに違いない。

宮下周平氏は、昭和五八年から札幌で「まほろば」という自然食品店を経営してきた人で、健康と安全に配慮したさまざまな製品を扱っていた。なかでも、自主制作した浄活水器の普及に力を入れていたが、それは七〇〇種類もの原材料で作られた特殊セラミックスと四〇種類もの濾過材が内蔵された、最高級の浄水器だった。

さっそくこの浄水器を購入し、玄米を発芽させるために浸ける水や、仕込み水に使うことにした。この浄水は、表面張力が、世界の長寿水として有名なフンザの水よりも低いのだそうだ。表面張力が低いほど、水分子が活発に運動しているという

蒸してさました発芽玄米に、麹菌をふりかける。

ことで、この水分子の活発な運動により、強い浸透力がもたらされる。そしてその浸透力が、発芽した玄米に麹の菌糸が食い込んでいくのを助けてくれる。水の力は、すごい！

こうして、発芽玄米酒に新たな命が吹き込まれた。さらに宮下氏はこう言った。

「昔ながらの生酛《きもと》造りにこだわった酒造りをするのならば、一歩進めて酵母も標準酵母を使わずに、三〇〇年もの長きにわたって『寺田本家』に棲みついてきた蔵付き酵母をもって、単独で醸成できないだろうか」

「原料や製造法、添加物などの違いがあっても、肝心の酵母が同じものであ

発芽玄米酒が発酵し始めたところ。

ったらどうか。本質的に同じことで、みな均一化してしまわないか」

「その地、その蔵、その微生物で完結させる酒造りであってこそ、地方色が豊かになり、持久力もつき、特性がいきいきと輝き出してくるのではないだろうか」

そこから、第5話で書いたように、蔵の柱や板壁を削って蔵付き酵母の採取、培養にとりかかったのだが、そうやってできた野生酵母を投入していたのは途中まであった。天然の酵母が自然にやってきて、酒を醸してくれるのを待つことにしたからだ。

酵母菌を投入しなくても、蔵のいたるところにびっしり棲みついている微生物たちの働きが、発芽玄米酒の発酵を活発に進め、複雑な味わいを作り出しているのだ。

微生物から、私たちが学ぶ「快法則」

発酵が進み、ブクブクと泡立つタンクの中は、まさに微生物たちのパラダイスだ。硝酸還元菌、次に来る乳酸菌、そして酵母菌と、さまざまな微生物がバトンタッチをしながら、いきいきと働いている。私には、そんな微生物たちが、自分の好きなことをやっているように思える。それぞれの微生物にとって、本当に心地よいことをしているように。

「私たち人間も、微生物のような快い生き方をしていけばいいんじゃないだろうか」

酒蔵の微生物たちを見ているうちに、いつしか私はそんな風に考えるようになってきた。気持ちのいいこと、楽しいこと、心地いいことを選んで進んでいくのが、いちばんいいのじゃないか。

不快なこと、快くないことが心身のバランスを崩し、そうした状態で起こる異常現象が病気なのだという「快療法（元・快医学）」という考え方がある。『いのちの法則　快療法』などの著者瓜生《うりゅう》良介《りょうすけ》氏が普及している療法である。

心身のバランスを快く調整すれば、「快」がもたらす自然治癒力によって病気は治る。これを「生命の快法則」と瓜生氏は呼んでいるが、世に蔓延《まんえん》する病気の多くは、人々のなかの「不快」によって生み出されたのだと納得する。

楽しくないのに無理をして、必死になってがんばって、死んでしまったら元も子もないじゃないか。「がんばる」という言葉は、「我を張る」という言葉にもつながるのだ。「ワレが、ワレが」で、いろいろなものを見失いながら、楽しくもないことをやり続ける人生で、本当にいいのだろうか。気持ちひとつで、微生物のように「快」に向かって楽しく進む人生に切り替えることができるのに。

どうも人間というものは、「快い」ということを勘違いしているように思う。お金で人を支配するような快感、人をいじめて喜ぶような快感、物を壊したり動物を殺したり、何かを独り占めしたり、こんなエゴの快感を本当の快感だと思ってどんどん進んできてしまった人が、これまでは多すぎた。このままではいけない。今こそ微生物たちが教えてくれる真の快感を、見直すときが来た。

私が微生物から教えられた「快法則」には、三つの条件がある。

その一番目は、「自分らしく」だ。

自分を好きになって、自分のために生きるということだ。これは、我欲とは違う。まわりと調和しながら、自分のために生きるというのがポイントなのだ。

それは同時に自らの役割、使命を心得て、自分の生命を燃焼させていく生き方でもある。酒造りでいえば、硝酸還元菌が亜硝酸を作り、乳酸菌が乳酸を作り、酵母菌がアルコールを作り出すように、一人一人にきっと役割や使命があるはずだ。そうやって、自分の生命をよりよく生かしていく、それが「自分らしく」なのだ。

「快法則」の二番目の条件は、「楽しく」である。

自分が信じたこと、心から好きなことを、楽しんでしていくことだ。そのとき、形にこだわらないというのが、大切だと思う。型破り、掟破《おきてやぶ》り、常識破りでいい。

今まで決められた枠のなかで、やりたくないことをさんざんしてきたのじゃないだろうか。「嫌なことはしない」。そう自分で決めれば、あとは楽しいことばかりなのだ。

何かするときに、喜んでさせていただくというのも、「楽しく」しているということだ。自分のことよりも他人の幸福を願う「利他」という仏教用語や、他者に対する慈悲を重視する「菩薩行」という言葉も、「楽しく」につながると考えている。人のために楽しんでなんでもできたら、嫌なことは自然になくなっていくのだから。

「快法則」の三番目の条件は、「仲よく」である。

なによりも争わないこと、そのためには勝たないことだ。微生物の世界は、まったく競争がなく、お互いに助け合い、支え合っている世界だ。それぞれを尊重して共生している。乳酸菌も酵母菌も、出番が来るまでじっと待っている、そんな謙虚な姿勢があるのだ。自分一人で前に出ていくようなことは、微生物の世界ではない。

違ったものを排除することで、うまくいくことなどないというのも、酒造りのなかで気づいたことだった。多種多様な微生物が参加することによって、生命力のある、命の宿った酒ができる。雑菌を排除しながら、純粋な菌だけを培養して造られた酒というのは、生命力のない、ただ酒のようなものができただけの話なのだ。本当の酒ではないと言い切ってもいい。

微生物たちが教えてくれたのは、排除してうまくいったつもりでも、実はうまくいっていないということだ。仲よくして、初めてうまくいくようになっているのが、自然界の仕組みなのだ。考えてみれば、仲が悪ければなにもかもうまくいかないといった現象は、私たちの身近なところでいくらでもあるではないか。

微生物の世界は、自分らしく、楽しく、仲よく生きている。これを人間世界が取り戻したら、この世界もいい具合に発酵していくように思われるのだが。

生命のおもむく方向に、自然に、素直に

酒蔵の微生物たちが、どうして快い方へと進んでいくことができるのか。人間はどんどん曲がって、いつのまにか不快に向かっていきがちなのに、その違いはどこにあるのか。そんなことを考えていたら、なんとなくわかってきたことがある。

微生物たちは、自らの生命のおもむく方向に、ただ自然に、素直に向かっているだけなのではないかと。彼らは、もちろん何も求めない。彼らには何も必要ないのだ。だから自然と、もともとの行くべき道を歩くことができる。

それに比べ、人間にはいろいろ求めるものがあるために、本来自分という生命が

おもむく方向がぼやけてしまうのだろう。お金が欲しいだとか、地位や名誉が欲しいだとか、人気を得たいだとか……。あれも欲しい、これも欲しいとガリガリ亡者になっていると、ぼやけるどころかまったく方向を見失ってしまうことだってある。

不自然なことをしないで自然にまかせておけば、ひとりでに発酵して酒ができていくように、人間だって自然に沿ったら、おのずといろいろなことがうまくいくのだと思う。そうなれば、人間も発酵していくのだ。

ところが自然に逆らえば、行き詰まる。腐敗していく。これに気がついて、腐敗を止めればいいだけの話ではないか。気づかずにつっ走っていくから脱線、転覆といった事故みたいなことが起こるのだ。

人間社会が腐敗社会への道を歩んでいるときは、微生物とは反対の世界を選んでいるときだ。そんな世界を捨てて、それぞれが自分らしく生きて、争いのない楽しい幸福な社会を作ろうとするならば、微生物をお手本にするべきなのだ。

微生物たちの生き方は、「与えっぱなし」だ。何一つ求めない。自分の使命、役割を果たすだけで、それに対しての見返りなどまったく求めない。まさに、常岡一郎さんが言っていた「空っぽになるまで吐き出す世界」なのだ。

常岡さんは、「空っぽになるまで吐き出せば、あとはひとりでに入ってくる。ひとりでにいいことが起こる」と言っていたが、ほどなく私はそれを実際に体験することになる。

　添加物だらけの不自然な酒造りをしながら、お金を追い求め、人から取ることばかり考えていたのが空回りして、なにもかもが裏目に出て、にっちもさっちもいかなくなって……。それでも怖いから、持っているものから手を離せないでいた。でも「もういい」と思って、利益もなにも手放したところから、状況は好転してきたのだった。倒産寸前の蔵が、再生の道を歩むことができたどころか、新しく生まれ変わったのだ。

　空っぽになるまで吐き出せば、自然とうまくいく。これでいいんだよ。微生物と同じ生き方でいいんだよ。大丈夫だよ。きっと発酵する。

第13話 微生物が「清潔の弊害」を教えてくれた

発芽玄米酒『むすひ』発売

発芽玄米酒に取り組みはじめてから商品化まで、実に七年が費された。けれどその間に微生物から教えられたことの大きさを考えると、この七年があってからの完成というのが、ごく自然な流れとも思える。

商品名は、『むすひ』とした。「玄米と、水と微生物の生命力を結びつけることで、新たな生命をもつ酒を生み出したい」。この名には、そんな思いを込めた。

それに「むすひ」は宇宙の根源的な生成化育（生み育て）の力を有する「産霊《うぶすな》」の意味ももっている。神と自然と人を結ぶといった願いも込められているのだ。

原料の玄米には、無農薬のコシヒカリを使用している。蒔けば芽が出る生命《いのち》の宿った米だ。仕込みに使う水は、神崎の鎮守の森が蓄えた井戸からくみ上げた地下水を、前述の浄水器にかけてクラスターを細かくし、体に吸収しやすくしたものを使っている。そして、蔵に棲みつく微生物たちが、自分らしく、楽しく、仲よく働いてくれる。これらがしっかり結びついて、『むすひ』はできた。

コシヒカリの生産者藤崎芳秀さんは、無農薬というだけでなく、不耕起で栽培する農家である。耕さないことで、稲は野生に戻り、強くなるという。そしてその田んぼには冬でも水を張っている。微生物の死骸やイトミミズの糞などで、地力がどんどんついてくるそうだ。

私と藤崎さん、常識にとらわれない者同士が結んだことも、『むすひ』誕生には、欠かせない要素だったとつくづく思う。

さてその味はというと、酒好きがおよそ「うまい」とは言わないものになってしまった。酸味が強く、香りも独特だ。その摩訶不思議な雑味《ざつみ》といったら、端麗と賞賛される吟醸酒たちと同じ日本酒のくくりに入れるのはちょっと、と言いたくなる。だから販売開始にあたって国税局に申請したところ、「清酒」とは認められず、「その他の雑種2」ということになった。アルコール度数が七度以上八度未満と、普通の日本酒の約半分であるせいかもしれないのだが、むしろ玄米を発芽させて原料にしたことが、問題になったようだ。

雑酒とは、清酒、合成清酒、焼酎、みりん、ビール、果実酒類、ウイスキー類、スピリッツ類及びリキュール類以外の酒類をいい、そのうち発泡酒または粉末酒以外のものをいう。その中で、「その性状がみりんに類似するもの（その他の雑種1）」以外のものが、「その他の雑種2」とされているのだ。何がなんだかわからない説明だが、要は今までの酒の分類に、『むすひ』は入れられないということだ。

こうなったら開き直って、

「日本一まずい酒です」なんて紹介していたら、

「いやいや、飲んでいるうちに癖になる酒だ」とか、

「日本酒と思わないで飲むと、なかなか深みのあるいい味だ」

「酵母が生きているので、味の変化が楽しめる」など、その独特の風味をほめていただくことが意外と多くなってきた。

『むすひ』の発酵が進むと泡がブクブクと出てくる。

購入後に酒の味が変化するというのは、あってはならないこととして、通常の酒は二回加熱殺菌が施されてきた。変化するということは、品質が安定せず、腐敗する可能性があるからだ。これは火入れと呼ばれる方法だが、熱湯の中に入れた管の中に酒を通したり、びん詰めしたものをお燗するような形で加熱し、酒を腐らせる乳酸菌の一種の火落ち菌を退治してしまう。

濾過後に貯蔵する前に火入れしないものを「生貯蔵酒」、びん詰め時または出荷時の火入れをしていないものを「生詰め酒」というが、一切火入れをしないものを「生酒」という（37ページを参照）。「生酒」であるだけでなく、発酵力の強い玄米の酒である『むすひ』のびんの中では、出荷後も酵母が元気に生きていて、発酵・熟成が続いている。まさに生命力そのものが詰まった酒なのだ。

だから発酵に伴い、びん内に炭酸ガスがたまって二〜三気圧にもなってしまう。このため、開栓する際に一度に栓を開けてしまうと中身が噴出してしまうおそれもある。もちろん一本一本様子が違うので、簡単に栓が開くものもあるのだが、油断すると半量くらい吹き出してしまうので要注意だ。とにかくソーッとソーッと、少しずつ開けてみてほしい。

調べてみたらわかったことだが、驚くことに、『むすひ』の中にはどこの蔵でも恐れられてきた火落ち菌が存在する。それでも腐ることなく、びんの中で調和がはかられている。まさに掟破《おきてやぶ》りの酒なのだ。

けれど、火落ち菌さえも仲間はずれにしないで結ぶことができるということは、微生物たちの本当の仲よしの世界がそこにあるという証明のように思える。

菌は汚いもの？

自分らしく、楽しく、仲よく働いて、発酵という大きな仕事をしてくれている微生物――、菌って、神様の使いなのじゃないか、天使なのじゃないか、自分はそんな風に考えることがよくある。けれど、その天使をこの頃の世の中は、どうも嫌う傾向が強すぎてびっくりしてしまう。

菌は、「汚い、臭い、気持ち悪い」、３Kで嫌われている。清潔志向が年々高まって、抗菌、滅菌、殺菌と汚いものは完全に排除しようと血道をあげているのが世間の動きだ。ある航空会社では、「機内空気から九九・九％バクテリアを除いた最高基準のきれいでおいしい空気を、乗客の皆様に提供しています」などというところまできた。

第6話で述べたが、私たちの蔵にも一年に一度保健所がやってきて、殺菌消毒の指導を徹底的にやっていく。でもその安全基準に適合させるということは、微生物をみんな殺してしまうことになる。保健所は「菌を育てるな」というわけだ。けれども醸造業というのは、菌をいかに育てていくかが問題なわけで、どうもそこがわかってもらえない。

保健所の指導どおりに塩素で蔵の中を消毒してきた蔵が、うちのように自然の力で発酵させる酒を造ろうとしたが、発酵がスムーズにいかないという話を第6話で

自然酒
五人娘
寺田本家醸
寺田本家醸

書いたが、蔵の消毒とケミカルなものを使う速醸造りはペアになっている。消毒した蔵は菌のバランスが崩れ、発酵のための場が成り立っていないため、乳酸やコハク酸、酵母菌などを人工的に添加しないと発酵していかないのだ。

人工的に手を入れて、ぜったい腐らない安全な酒造りをするには消毒が必須なわけだが、逆に人工物に頼らないと酒を造ることができなくなってしまったのは、蔵の消毒のせいだともいえる。

菌を嫌ったツケは、恐ろしいほどしっかりまわってきた。けれど日本中のほとんどの酒蔵が、そのことに今でも気づかないでいる。いや、気づいている人たちだっているはずだ。だけど、今さらどうにもならないところまで菌を排除してしまった。微生物たちの仲よしの世界を、見過ごしてしまったのだ。

私たちがどんなに菌を嫌ったところで、菌はいたるところにいる。だれのおなかにだって、数百種類、約一〇〇兆個の腸内細菌がいるのだ。これも発酵菌が優勢なほうがいいに決まっているが、東京医科歯科大学医学部の藤田紘一郎教授によれば、腐敗菌がまったくいなくなればいいかというと、そうでもないらしい。腐敗菌には腐敗菌の働きがある。なんでもかんでも排除すればいいってものじゃないのだ。

皮膚の表面だって、一平方センチメートル内に平均約一〇〇万個の皮膚常在菌というのがいる。この菌がいるから、皮膚は守られている。常在菌が皮脂を分解して、皮膚のpHを弱酸性に調整してくれているのだ。そのおかげで、病原細菌が暴れるのを防いでくれている。清潔を心がけるのはいいけれど、重要な役目を負ってくれている菌まで、知らないうちに殺してしまってはいないだろうか。

実際、菌の反乱は、もうすでに起こっている。抗生物質のおかげで、日本では伝染病というものがほとんど姿を消したと喜んでいたら、薬の効かない耐性菌が出てきた。抗生物質に対して、耐性能力をもつ細菌が現れたのだ。

恐ろしいことに、この耐性菌が院内感染症や術後感染症を引き起こす原因の一つにもなっている。死滅したものとだれもが思っていた結核やペストが復活したのも、病原性大腸菌O－157が暴れだしたのも、この耐性菌が原因である。それどころか、新手の耐性菌が次々と出現しつつあるというのが実状だ。

地球上に生物が発生して以来、生物の存続が危ぶまれるたびに、生物たちは環境に順応すべく変化して生きてきたわけだが、菌だって同じことだ。絶滅の危機に瀕すれば、なんとか生き残ろうと必死になる。

人間の浅知恵で菌を排除しようとしたって、その強力な防衛力にはかなわない。菌というものは、数時間で世代交代する実にたくましい生き物なのだ。

滅菌思想の危険性

全国の造り酒屋がやってきた失敗を、今私たちは日常の暮らしの中でやろうとしている。菌を排除して偽物の酒を造ってきたのとまったく同じように、清潔に過敏になり、抗菌、滅菌とやっきになって偽物の体を作ろうとしている。

前述のとおり、O－157も抗生物質が効きにくい耐性菌の一つなのだが、本当は生命力に乏しい菌である。なのになぜ発病する人としない人がいるのだろうか。それは、発病した患者の体内が清潔すぎるからなのだ。体にO－157を排除するほかの腸内細菌がいないことが、発症の直接的な原因であり、腸内細菌が優良で免疫力が衰えていなければ、発症しない病気なのである。

前述の、藤田紘一郎教授に会いに行ったことがある。『清潔はビョーキだ』（朝日文庫）や『日本人の清潔がアブナイ！』（小学館）という本で、行き過ぎた清潔志向に警鐘を鳴らしている寄生虫博士だ。藤田教授は、花粉症やアトピー性皮膚炎などのアレルギー疾患や、最近増えている奇妙な病気は、日本が「きれい好き」になったことが原因だと言っている。

かつて教授は、熱帯医学の研究で、インドネシアのカリマンタン島を訪れているのだが、現地の子どもたちは、便が流れているような川で元気に水遊びをしているそうだ。川の中で排便しているからなのだが、なんとその水が飲食にも使われている。「これでは病気になってもしかたがない」と思いきや、大人も子どもも肌がツルツルしていて、アトピーなどひとりもいない。ぜんそくだって、花粉症だってまったくない。

アレルギー疾患がないだけでなく、血圧もコレステロールも正常値だ。そこで彼らの便を調べてみたら、全員が寄生虫に感染していたという。おなかの中に、回虫、ギョウ虫、サナダムシといった虫たちが、うようよしていたそうだ。そこから、「寄生虫感染とアレルギー疾患の関係」が、教授の研究テーマになっていった。そしてわかったことは、寄生虫のお尻の付近に、アレルギー疾患を防止する、つまり免疫力を高める物質があったということだ。

お尻の付近には、便や尿がたまっているわけで、「寄生虫のうんこやおしっこが、我々人間の免疫力を高めていくんです。論文を出しても認められませんから、公にはしていませんけどね」と、教授は言っていた。

私たちの年代では、おなかに虫がいた人は、虫下《むしくだ》しというのを飲まされた経験がある。日本にアレルギー疾患が増えてきたのは、それと同時進行なのだと、教授の話を聞いて納得した。深刻なのは、今我々のおなかの中は、虫下しを飲まなくてもいい状態、つまり虫も住めないような腸内環境になっているという事実だ。

ひとつの原因としてあげられるのは、水道の塩素消毒だろう。それがいかに有用な微生物まで殺してしまうかということだ。塩素消毒は、水のなかの菌を殺すだけでなく、それを飲んだ人間のおなかの中の菌も殺してしまうのだ。浄水器で塩素を除去すれば免れるが、知らなければとんでもない目に合うことになる。

ともかく日本人の「きれい好き」は、とどまるところを知らない。台所用品、寝具、下着、靴下、家具、文房具など、なんでも抗菌加工がされている。「抗菌」と書かれていないと、安心して物が買えないという人が増えているとも聞いている。けれど抗菌グッズは、前述の皮膚にいる常在菌を弱めてしまう。せっかく皮膚を守ってくれているのに、その働きを阻害してしまうのが抗菌グッズだ。だから、抗菌加工のマスクで、皮膚がかぶれるなどということも発生している。

顔や体の洗い過ぎで、ドライスキンになる若い子もいるし、ウォシュレットの使い過ぎで肛門周囲の皮膚が中性になり、皮がやわになってしまった人もいる。ビデ洗浄のし過ぎで、膣炎になる女性もいるらしい。ばい菌を排除して免疫力を低下させ、自分で作り出した症状に悩む、こういった多くの例を藤田教授は指摘している。

昔の日本人は、ばい菌と一緒に暮らしていたおかげで、たくましく生きてこられたのだ。今の長寿世代を支えてきたのは、どうもこのあたりにヒントがあるのではないかと思う。生活環境も自分の体も隅々まで掃除した人間が、いかに新しい病気にかかっていくか。

菌を排除するのではなく、かけがえのないありがたい貴重な生き物なのだと認識していくことが、これからは大切ではないだろうか。

第14話　発芽玄米酒が大反響を呼ぶ

発酵に注目する医師との出会い

大阪市の市街地・天王寺の中村クリニックで、東洋医学を実践している中村和裕氏に出会ったのは、発芽玄米酒『むすひ』の研究段階のことであった。

中村医師は、大豆の発酵に注目し、新潟大学医学部の安保徹教授（『免疫革命』の著者）らとの共同研究もしていた人で、腸内環境の総合的改善を土台とした治療を行っていた。

中村医師が東洋医学に目覚めたきっかけは、自らの体に起きたてんかんの発作だった。医学生時代のことである。冬にてんかんの発作を起こし、電気ストーブの上に倒れ込んだまま時間がたってしまったために、のどから体にかけて大やけどを負ってしまったのだ。その後も生死にかかわるような事態を繰り返し、「今の医療では、発作は抑えられても、生きている楽しみが失われる」と疑問を感じるようになっていったという。

そんな折、食品栄養に詳しい義姉から腸内細菌のことを初めて教えてもらい、青天の霹靂だったそうだ。腸内細菌のバランスを改善すると、健康になる。それは、まったく知らない世界だった。そして研究を進めていくうちに、発酵熟成に関与する多くの微生物の共棲によって生み出される分泌物に、何かありそうだとわかっていったのだそうだ。

そして発酵食品の生理的効果を研究していくことになったのだが、乳酸発酵の勉強をしている途中で私との出会いがあった。中村医師とは、おもしろいことに、いろいろな場で出くわした。ある研究者のところで会ったり、カタカムナの勉強会で会ったり、快医学のセミナーで会ったり。そうこうするうちにすっかり顔見知りになり、うちの蔵に酒造りを見に来るようになったり、泊まりに来るようになったりしたのだ。

中村医師が言うには、自然醸造で手間ひまかけて発酵熟成したものは、腸の機能を活性化し、副交感神経を刺激して血行をよくするのだそうだ。交感神経が血管を収縮させるのに対し、副交感神経は血管を拡張させるからだ。

ストレスが過剰になると交感神経が優位になり、緊張した状態になるのだが、副交感神経が高められれば、正常なバランスになり、体の修復機能も高まるという。このように自律神経が調整されるということは、内分泌のバランスが整うということであり、免疫機能が活性化することにつながるのだそうだ。

中村医師は、発芽玄米酒をそういった効能のある、きわめて質のよい発酵食品だと言ってくれた。「玄米で、日本酒ができないだろうか」といった、単純な発想から端を発した酒であったが、これはどうやらスゴイものができたらしい。

発芽玄米酒で、糖尿病が快方に？

発芽玄米酒の発売は始めたが、宣伝は一切行わなかった。だから、最初のうちはもともとうちの酒のファンでいてくれた人たちや、自然食志向の人たちが、ものめずらしさで飲みはじめたのではないかと思う。

決してうまい酒ではない。いくら体にいいだろうと自負していても、そうそう売れるものでもないと思っていた。けれど、一度買った人がまた注文してくれる。そして知り合いにも伝えてくれる。そんな風にして、売り上げはだんだん伸びていった。

そのうちリピーターの人たちの再注文のファックスやメールに、うれしい報告やお礼のメッセージが届くようになってきた。なかでもいちばん多いのが、糖尿病をわずらっている人たちからであった。

「一七〇あった血糖値が、一一二に下がりました」

「血糖値が五〇〇～六〇〇、ヘモグロビンA1c一二・五％という、糖尿病の末期的症状でしたが、今は血糖値が空腹時で八七、随時一二〇と良好。ヘモグロビンもA1c五・一％となっています。インシュリン注射や投薬は一切なし。薬らしいものと言ったら、『むすひ』にほかなりません」

「血糖値が二〇〇以上あったけれど、発芽玄米酒を飲んでいたら、一二八に下がった。インシュリン注射をしなくてよかった。医師もびっくりしている」

「血糖値が四〇〇あったのが、一九三に下がった。とてもうれしい」

「『むすひ』を飲みはじめて半年になるが、手足のしびれがとれてきた。血糖値も下がった」

「血液検査で、血糖値が初めて一〇〇をきりました。薬も変えないのに、ここまでよくなったのは、玄米酒のおかげだと思っています」などなどである。

なかには、重度の糖尿病の壊疽《えそ》から回復したという人もいた。

血糖値は、健康な人の場合、空腹時はおおよそ八〇～一〇〇mg／dl程度であり、食後であれば、若干高い値を示す。そしてブドウ糖のくっついたヘモグロビンがどれくらいあるかをパーセントで表し、血中のブドウ糖の多さを示すのが、ヘモグロビンＡ１ｃである。この目標値は、一般に七％以下とも六％以下ともいわれ、一人一人の状態によって違うようだが、糖尿病であればパーセンテージが高くなる。

厚生労働省が発表した「平成一四年　糖尿病実態調査」によると、ヘモグロビンＡ１ｃが六・一％以上、または現在治療を受けている人が「糖尿病が強く疑われる人」と位置づけられ、ヘモグロビンＡ１ｃが五・六％以上六・一％未満で、現在治療を受けていない人が、「糖尿病の可能性を否定できない人」とされている。

この調査によると、「糖尿病が強く疑われる人」は約七四〇万人と推計され、平成九年の調査結果の約六九〇万人よりやや増加している。一方、「糖尿病の可能性を否定できない人」は約八八〇万人と推計され、こちらは平成九年の約六八〇万人から、五年間でなんと二〇〇〇万人も増えていることになる。

「糖尿病が強く疑われる人」と「糖尿病の可能性を否定できない人」を合計すると約一、六二〇万人にものぼり、「成人の六人に一人は糖尿病かその予備軍」であることがわかったのだ。

そういうご時世だから、健康雑誌も糖尿病に効くという情報は必死になって集めていたのかもしれない。あるとき、そんな雑誌社の一社から、取材の依頼が舞い込んできた。

これはチャンスだ。日本中の酒蔵が何食わぬ顔でやっている添加物だらけの速醸造りに対して、堂々ともの申すことができる。そんな気持ちもあって、その雑誌の取材を引き受けた。

血圧が下がった。便秘が治った。

「問題なのは、現在の日本酒のほとんどが、即席醸造しているという点です。本来酒は、米と水を原料として、そこに多種多様な微生物が棲みついて、これがさまざまに発酵して芳醇な味と滋養を育てあげていきます。そうやって造られて初めて

『百薬の長』になりうるのです。ところが、即席醸造で乳酸を加えると、菌が死んでしまう。人工的に発酵を止めてしまっているんです」『はつらつ元気』（芸文社）

取材に来た記者に伝えたことは、紙面に反映された。もちろん健康雑誌なので、発芽玄米酒を毎日飲んで体がよくなった人たちの体験談のほうが大きい扱いなわけだが、私が本当に言いたかったこともしっかり載せてもらえた。

中村医師も、発芽玄米酒を「腸の活性を導く極上の発酵食」とコメントしてくれ、さらに「糖尿病などの生活習慣病のみならず、ガンなどの難病の改善にも、必ず役立つものと考えます」と付け加えてくれた。

それにしても、マスコミの影響力というのはスゴイものがある。掲載された雑誌が発売されるやいなや、注文は殺到、電話は鳴りっぱなしである。ありがたいことに、発芽玄米酒は冬場しか造れない他の酒と違って、一年中醸造することができるので、販売の対応が少しの間忙しくなるだけで、生産が間に合わなくなることはほとんどない。順風に乗るとは、こういうことなのだろう。無理をしなくても、うまくいくときはうまくいく。

こうして、たくさんのお客さんに『むすひ』が届けられた。そして、さらに全国から、体験者の声が寄せられるようになったのだ。

「血圧が一五六から一三〇に下がった」

「便通がスムーズになり、痔が治った」

「尿の悪臭がとれ、泡が消えた」

「ひどい頭痛と鼻水を伴う花粉症がよくなった」

「体が温まり、夜中にトイレに行かなくなった」

「腰痛もちだったが、快便になったせいか腰の負担が少なくなった。肌も調子がよくなった」

「よく眠れるようになり、手足が温かくなった」などなど。

飲み方は皆それぞれで、寝る前に一～二合飲む人もいれば、酒が苦手でおちょこに半分しか飲めないという人もいた。それでも体調に変化があったようだ。

アルコールが苦手な人は、豆乳やリンゴジュースで割ると飲みやすいといった情報も、お客さんからいただいた。豆乳割りは、中村医師によると、栄養的にも最高の組み合わせだそうだ。

それでも飲めない人がいるだろう。実は自分がそうなのだが、そういう人には玄米酒粕という強い味方がいる。『むすひ』の最終段階でできる副産物だ。商品名は、『にぎり酒』という。

手で握ることができる酒ということで、酒粕は昔から「にぎり酒」と呼ばれ、とても珍重されてきたものだ。本来の酒造りによってできた酒粕には、生きた酵母菌をはじめたくさんの微生物やその分泌物が含まれている。速醸造りでできた酒粕は、本当にカスでしかないので注意してもらいたい。

うちの場合玄米酒粕は、ごはんを炊くときに混ぜたり、汁物やおかずに混ぜたり、パンやクッキーなどの発酵にも使っているので、毎日口に入ることになる。おかげで酒の飲めない私も、一年中調子がいい。この酒粕のファンも多く、ほとんどの人が快便になり、腸がいい具合に働くようになったと自覚しているようだ。

発芽玄米酒にしても、玄米酒粕にしても、自然の恵み、生命力を最大限に活かしたことでできあがったものだ。だから不自然が招いた病気に対して、それを是正するような変化をもたらすのではないか。このことから、自分たちの不自然に気づいてくれれば、さらにうれしい。かつて私が体験したように。

発芽玄米酒『むすひ』と、玄米酒粕『にぎり酒』を使って作られた『酒粕クラッカー』(クラッカーは、料理研究家の次女聡美が作って販売している)。

第15話
自然に還ることが、社会の腐敗を止める

従来の製品にも、自然造りの見直しを

玄米を発芽させてから麴にし、蒸した発芽玄米と水を加えてもろみを熟成させ、それを搾って火入れもせず、濾過もせず、びんにつめる。そんなシンプルな製法でできた発芽玄米酒の完成は、従来の酒造りの行程をも根本から考えなおすきっかけとなった。

『五人娘』の場合、酒造りのスターターとなる酒母に、麴と新たな蒸米《むしまい》を三段階に

分けて混ぜ、もろみ造りを行っていく。仕込みを「初添《はつぞえ》」「中添《なかぞえ》」「留添《とめぞえ》」と三回に分ける方法は「三段仕込み」というが、これは、徐々に酵母の生育の場を広げていくことにより、酵母の優位性を保ち、雑菌の繁殖を抑えるので、最適な仕込み方法といえるのだ。

この間、もろみの中では麴の力によって蒸米が次第に糖化されていき、その糖を食べ物にして酵母菌が発酵し、アルコールを産出している。この発酵法は糖化と発酵を同時に行うことから「並行複発酵」といわれ、世界的にも珍しい技法なのだ。

蔵人たちは、発酵にともなって盛んに発生する泡の状況を見、温度管理に気をつかう。そうやって見守られるなか、微生物たちは大いに力を発揮し、約二〇日間かけてもろみが熟成されていく。杜氏が完成と判断したら、「上槽《じょうそう》」といって、搾る段階になるわけだが、いわゆる「アル添酒」の場合は、ここで醸造アルコールが添加され、味や香りを調整する添加物も投入されてしまう。

『五人娘』の場合は、もちろんそういったものは添加せず、熟成したもろみは圧搾して新酒（生原酒）と酒粕に分けられる。搾りたての生酒は琥珀色をしていて、炭酸ガスが残り、シュワッとした口あたりが新鮮だ。麴の香りも強く残っている。

これまでは、この生原酒を濾過し、火入れ（殺菌）をしたうえで貯蔵してきた。生酛《きもと》造りによる酒は酸が強いため一年ほど熟成させ、味のバランスがとれた頃出荷されるのだ。

見直しが必要と思ったのは、この濾過と火入れである。火入れについては、第13話でも述べたが、これをしないがゆえに『むすひ』の中には酵母が元気に生きていて、発酵・熟成が出荷後でも続いている。このように火入れをしない酒は「生酒」といわれ、一般にも出始めた。そこで、『五人娘』も「純米生酒」と「純米吟醸生酒」の二種を造るようになった。

濾過の方は、通常「おり下げ」と呼

ばれる行程とセットになっているが、この「おり」とは、搾ったままの酒に残るにごりの成分のことで、酵母やデンプンの粒子などである。澄んだ酒にするためには、これらを沈殿させる必要があるが、通常はタンクの中で放置して沈むのを待つ。そして大多数は、二度ほどこのおり下げを施しているようだ。ただこのとき、醸造協会で頒布されるおり下げ剤を使用する蔵も多い。

おり下げ後の酒にも、まだ細かいおりは残っていて雑味《ざつみ》があり、色も無色透明とはいかない。そこで行われるのが、「濾過」である。これは、濾過機によって行われるが、濾過剤として粉末状の活性炭が投入される。また濾過助剤としてケイソウ土が使用され、さらに不要物の除去を行うことも多い。

活性炭もケイソウ土も、火落ち菌の除去には大いに役立つ。けれど、おいしい日本酒のエキス分を取り除いてしまうし、本来の日本酒の色を除いて水のようにサラッとさせてしまう方法でもある。酒本来の香りまで消してしまうのだ。もちろん、まったくなくすわけではない。それでは、味もそっけもない酒になってしまうので、そうならないように炭の加減を調整する「炭屋」といわれる専門の担当者も存在するのだ。

日本中の蔵が、そんな専門家を使ってまで濾過に夢中になったのにはわけがある。

かつて全国新酒鑑評会で、色がついた出品酒を減点対象にしていたことがあったからだ。けれどもうそれはやられなくなっていて、色のついた酒も最近では流通しはじめているのだが。

それどころか、発芽玄米酒のような、色も香りも雑味も飛び抜けているような酒が受け入れられる時代なのだ。ならば、『五人娘』も、搾ったばかりの生原酒で売ってみるのはどうか。そう考えて造ってみたのが、『しぼったまんま』である。

無濾過の酒には、日本酒本来の姿がある

読んで字のごとし。『しぼったまんま』は、造り期間中（一二月下旬〜四月中旬まで）にもろみを搾り、おり下げも濾過も火入れもしない、割り水という濃さの調整もしない、しぼりたての新酒、無濾過生原酒である。白く濁ったこの酒は、酸が強いがどっしりとした厚みのある味わいがあり、飲み応えがあると人気を得た。

新酒の時期を過ぎてからは、同様の手法で造った『自然のまんま』を発売した。こちらは『しぼったまんま』のような白濁はなく、多少濁っているといった感じだが、『しぼったまんま』同様、おりを豊富に含んだ濃厚な酒だ。

このおりの中には、日本酒が手放してきてしまった大切なエキスがたくさん詰まっている。健康維持どころか、萎えた体も蘇生に導くエネルギーに満ちている。ホルモンや免疫、神経といった、人間が生きていくうえでバランスをとっていくのに重要な部分に、これはとてもいい働きをしてくれる。

昔から酒が「百薬の長」といわれてきたのは、このおりに含まれる成分によるところが多いと、私は信じている。それを除いてしまうなんて、なんともったいないことか。

おり下げや濾過は、不自然な行為であり、酒造りには必要ない。これが、『しぼったまんま』と『自然のまんま』の酒造りから、私が出した結論である。そうなったら、いてもたってもいられない。早速、従来品の『五人娘』と『香取』の製造工程から、おり下げと濾過を全廃した。

それが自然に沿うということじゃないか。そこがいちばん大事じゃないか。顧客からクレームがきたら……。売り上げが減ってしまったら……。実際、そういう不安がないわけじゃない。けれど原点は、「お役に立つ酒を造りたい」というところにあるのだ。勇気をもって決断していくのが、自分流なのだ。微生物を見習って、自分の信じた生き方をすることにしたのだから。

案の定、「色がついている」「ゴミが混ざっているじゃないか」と問い合わせの電話が鳴りだした。ほかの酒に変えてしまう顧客も出てきた。けれど、「自然の味を引き出し、お米本来の特徴を活かすために、できるだけ人の手を加えないで、自然のままにこだわりました」と説明を続けていくしかない。その結果、納得してくれる人もあり、離れていく人もあった。

無濾過の酒を評価してくれる人たちは、まだまだ少数派だ。スッキリと澄んだ酒でなければ清酒じゃない、と言われればそれまでだ。けれど、人の体を癒してくれる大切な物が、搾ったばかりの酒にはあると気づいたからには、もう見過ごすことなどできない。そこには、酒本来の姿が存在するのだから。

きっと、お客さんの信用や信頼は、取り戻せる。瓶の底に静かに沈む白い物、微生物が発酵によって醸し出した物たちが、これを飲んでくれる多くの人々の健康にどれだけ貢献してくれるかと思うと、私はワクワクしてたまらないのだ。

腐敗した社会を発酵の場へ

人工的に作られた乳酸で発酵させて、確実に大量の酒を作る。もともと琥珀色の酒を、どこまでも無色透明に変えてしまう。米のうまみを雑味として、できるかぎり取り除いてしまう。アルコールを添加して、または初期段階で米の熱風処理などをして生産性を追求する。こういった酒造りの原動力となるものは、いったい何なのか？　それは、競争に勝つことにほかならない。

もちろんそれは、酒造業界に限った話ではない。ただひたすら利益を追求し、成功して勝ち組となることが、長いあいだ多くの日本人の目標となってきた。そこは「奪ったもん勝ち」の弱肉強食の世界であり、利己主義と能力主義が横行する闘争の世界だ。

けれども、エスカレートした競争社会の裏側には多くの犠牲が存在する。汚染された空気、水、土壌がそれだ。人々の体と心を蝕む、さまざまなストレスもそうだろう。

大人たちの競争は、子どもたちの競争をも引き起こしている。競争の重圧がいじめにつながり、校内暴力にも発展している。それどころか毎日のように報道される親子間の殺人事件も、原因を調べてみれば、ほとんどが競争にあるといっていいのではないか。

さらに視野を広げれば、地球上のいたるところにある紛争だって、競争の末に起こっていることだ。競争に負けた人々が飢餓に苦しみ、勝った人々がごちそう漬けで体を壊している。いったいどちらに行けば、幸せはあるのだろうか?

けれども、これらすべてのことは、生命というものを無視してきた経済優先の考えが引き起こしてきたのだと思う。私たちは、利潤を追い求め過ぎて、社会をすっかり腐らせしまった。腐敗させてしまったのだ。人類が自滅の道をひた走るほどに。

それは、もう手遅れなのか? 腐敗行きの列車は、走り続けるしかないのか? このままでは大きな脱線事故につながることがわかっているのに。いや、それでは困る。そうなってはならないのだ。ならば、どうしたら? そう考えたとき、酒蔵の微生物たちが私に教えてくれた。「自然に還れば、また発酵していくよ」と。

自然界は、競争原理よりも協調原理のほうが強く働いている。微生物たちを見ていれば、共生の世界、相互扶助の世界であることがわかる。それぞれが使命・役割を果たしながら、生態系全体の安定を保ち、循環が成り立っているのだ。

人としての生き方を微生物に学び、自然に還れば、腐敗した社会はまた発酵し、争わずとも活かされる道が開けていくはずだ。

大好きな宮沢賢治の『アメニモマケズ』の中で、「ジブンヲカンジョウニイレズニ」というくだりがある。自分を勘定に入れないとは、「奪ったもん勝ち」とは正反対の生き方だ。

賢治は『農業芸術概論綱要』で、「みんなの幸福を祈るときに、みんなの幸福と一緒に自分の幸福がやってくる」「世界がぜんたい幸福にならないうちは、個人の幸福はありえない」とも言い切っている。

競争から共生へ、奪い合いから分かち合いの世界へと、今こそ大きく転換するときが来た。腐敗行きの列車から降りて、みんなで発酵行きの列車に乗り換えるのだ。

第16話　社会も家庭も、腸内環境と同じ

現代に甦る、寺仕込みの「どぶろく」

日本酒の歴史をひもといてみると、始まりは弥生時代、前述の「口嚙みの酒」がその起源と伝えられている。大和時代にヤマタノオロチの退治に酒が使われたという逸話は有名だが、そのころの酒は固体に近い液体であったらしい。

奈良時代には、大陸から麴による酒造りが伝えられ、平安時代の書物には、米、麴、水で酒を仕込む方法が記されている。このころから酒は寺院で醸造されること

が多くなり、「坊主酒」といわれて高い評価を得ていた。なんとこの酒は、一六世紀に地酒の時代を迎えるまで盛んに造られていたという。

うちの蔵に、「酒造りをしたい」とお坊さんがやってきたのも、ただの偶然ではないということだろう。藤波良貫《ふじなみりょうかん》さんというその人は、永平寺《えいへいじ》に六年、その後和歌山県で住職をし、寺を離れてからは愛媛の無農薬米で酒を造る蔵元で働いていた。

彼は実家のある関東近辺で、生酛《きもと》造りをしている蔵を探していたら、うちにたどりついたそうだ。「この出会いを待っていた！」。私は初対面のそのお坊さんに、直感がひらめいた。「この人なら、蔵を託せる」「いいお酒を造ってもらえる」。

良貫さんは、高校時代になぜかクリスチャンの先生にブッダの話を聞き、すごい人だと魅せられて、お坊さんになろうと決意した人だった。仏門に入った目的は、「自分自身の探求」であったが、そこは思っていたような世界ではなかった。このまま仏門にいても、本来の自分を求めることはできないと判断し、酒造りをもっとずっと深い修行とみて蔵人となった。

彼の信条は、「真面目に生きる」。「真面目」は、「しんめんもく」と読むのだが、これは「人や物事の本来のありさまや姿」という意味である。彼は本当の自分と向き合いたい、本当の自分は何を求めているのか、といつも自分に問うているのだ。

進むべき道を求め、それが米造りになり、その米の生命《いのち》を酒の生命《いのち》に変えていくというところにつながっていった。「酒造りは、一生の修行。けれど決して辛くはない。むしろ楽しいのです」と、彼は言う。

そんな良貫さんは、酒造りの研究にも実に熱心であった。そこへ、さらに火をつけた人間がいた。蔵見学に来た一人のお客さんだ。「大昔、お寺で仕込んでいたお酒の『酛《もと》』で、『菩提酛《ぼだいもと》』というのがありますよ」。

それはおもしろいじゃないか、ということでさっそく調べてみると、「坊主酒」で有名な銘酒『菩提泉《ぼだいせん》』の「酛」であることがわかった。造っていたのは、奈良菩《ぼ》提山正暦寺《だいせんしょうりゃくじ》のお坊さんたちだ。室町時代初期の『御酒之日記《ごしゅのにっき》』という、日本初の民間の酒造技術書にも記されている。

どぶろくの元祖、生酛の原型ともいうべきこの酒をさらに調べ進めたら、とんでもないことがわかった。なんと火落ち菌を出しやすいというのだ。火落ち菌といえば、蔵のすべての酒を腐らせてしまうと昔から恐れられてきたアブナイ菌だ。今でいったら、どんな大規模な鶏舎も全滅させてしまう鳥インフルエンザみたいなものである。

こんなものを出したら、国税局がすっ飛んでくる。当時酒税は、アルコール度数が高いほど税率が高かったので、アルコールを食べて酒の度数を低くしてしまう火落ち菌は、税の徴収屋にとって天敵だったのだ。

「『菩提酛』で火落ち菌が出る確率は、一〇%。そんな危険を冒してまで、うちの酒蔵でやってもいいものだろうか」。良貫さんは、躊躇した。火落ち菌を出したとなれば、どんな蔵でも杜氏《とうじ》は即刻クビだ。昔は火落ち菌のために、自殺者だって出たのだから。

ところがどっこい、「やっちゃえ、やっちゃえ」が口癖の私のことである。「『菩提酛』？　いい名前だ。やってみよう」と即なったわけだ。こうして、千年以上もの時を超え、現代のどぶろく『醍醐のしずく』が誕生するのである。

家庭で造る「どぶろく」の復活を願う

『醍醐のしずく』に似た酒なら、本当はだれでも造ろうと思えばできる。もともと家庭で造られていた酒だったのだから、当たり前の話なのだが。

簡単に作り方を記してみよう。

❶白米一升をよくといで、普通に炊き上げ、そのごはんを広げて人肌にさます。

❷その間に、白米九升をよく洗い、仕込みタンクに仕込み水一斗とともに入れておく。

❸さめたごはんはさらしの袋に入れ、②の仕込みタンクに入れる。そしてこの袋を、一日一回手でよくもんでやる。こうして、乳酸菌の働きがよくなるような環境を作るのだ。

❹三日もすると、だんだん酸っぱい香りがしてくる。これは、乳酸菌がどこからともなくやってきて、活動を始めた証拠である。水の表面に膜が張って、指で引くと、スーッと指の跡がつくようになったら、確実に乳酸菌は入っている。泡も少し出てきているはずだ。

❺中の袋を取り出し、浸けておいた米をざるにあげて水きりをする。このとき、水は捨てずにとっておくこと。この水の中には、乳酸菌がいっぱいいるのだから。

❻水きりした米は蒸気のあがった蒸し器に入れ、四五分ほど蒸したあと、広げて人肌にさます。

❼麹五升を用意し、1/5量を⑤で取り出した袋の中のごはんとよく混ぜる。

❽麹の残り4/5量は、⑥のさめた蒸米《むしまい》と、⑤でとっておいた水と混ぜる。

❾仕込みタンクの底に⑦の半量を敷き詰め、⑧を入れる。

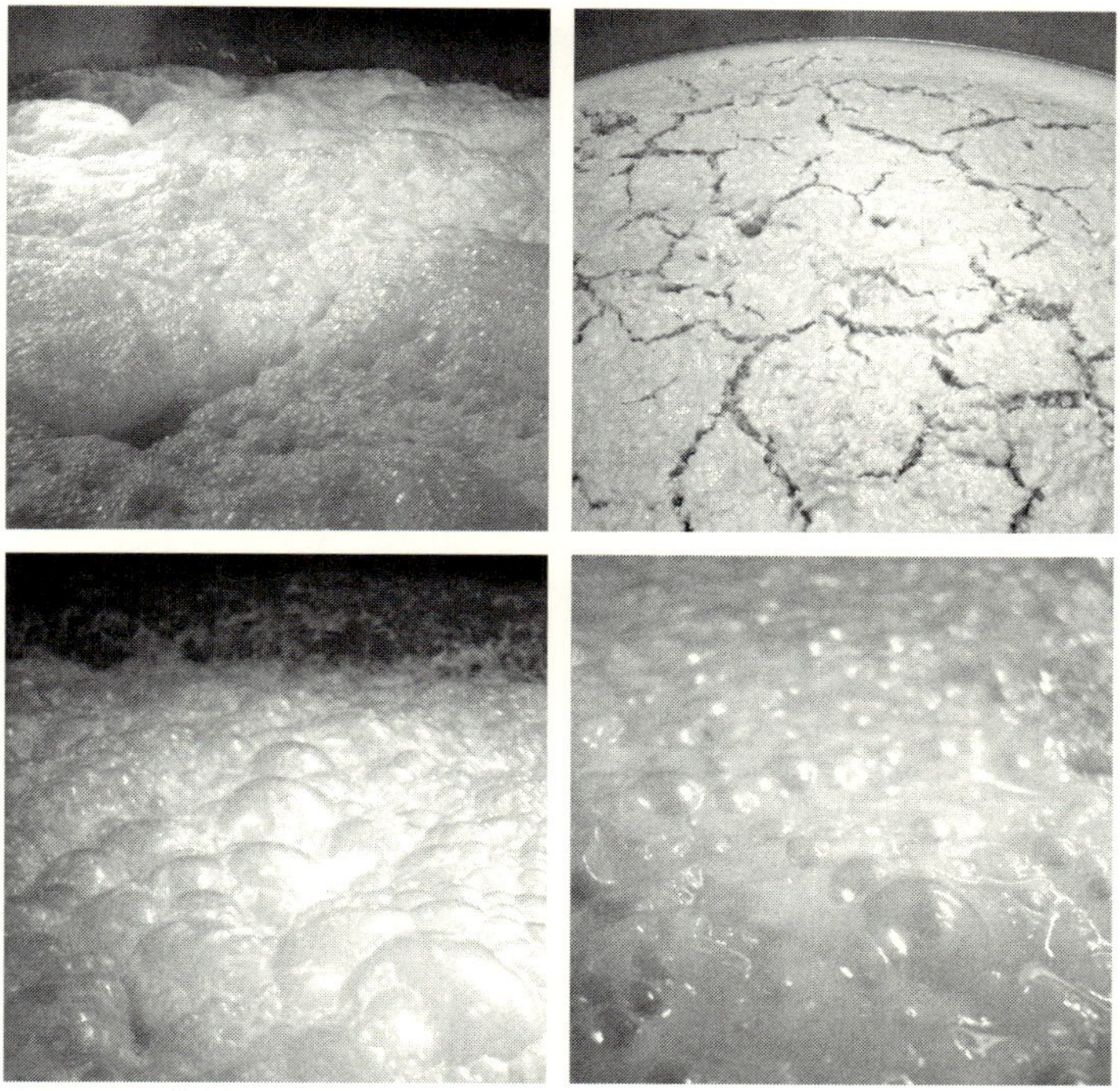

『醍醐のしずく』の発酵の工程。
右上が２日目、右下が４日目、左上が５日目。左下が６日目。

❿⑨の上に⑦の残りの半量を、全体にふたをするようにして入れる。
⓫タンクにゴミや虫が入らないよう、布でふたをする。
⓬一晩くらいすると、泡が出てくる。乳酸菌と相性のいい酵母菌がどこからともなくやってきて、活発にアルコールを造り出しはじめたのだ。こうなったら櫂《かい》入れという作業をするのだが、それは長い棒の先に板のついた櫂で攪拌することだ。
⓭一日二回くらい櫂入れをしながら発酵させていくと、夏期は一週間ほどで、冬期は二週間ほどで酒になる。搾ってびんに入れ、冷蔵庫で保存する。

米で造ったワインとでもいおうか。なんともフルーティーなこの酒は、造る季節によって違った味わいがあり、「生きている酒だ」と実感する。昔はこんなどぶろくをみな自分の家で造り、大事に飲んでいたのだ。そしてその酒が、当時の人々の健康維持に大いに役立っていたに違いない。

現在の日本においては、税務署から免許を得ていない者がアルコール分を一％以上含む飲み物を造ると、五年以下の懲役か五〇万円以下の罰金が課せられることになっている。これが酒税法というやつだ。

家庭でどぶろくが造れなくなったのは、明治時代のことだ。富国強兵策として税金の徴収を強化するために、酒の自家製造を完全に禁止して、税収の三割にものぼる酒税を確保しようというもくろみだった。

けれど、その後日本人の体はいったいどうなったか？　ちゃんと発酵していた人々の腸は、腐敗の方向に進んだのではなかったか？　戦争は終わったのだから、富国強兵も関係ないだろう？

実際、「家庭で生産されるどぶろくについては、解禁すべきではないか」という議論も起こっているというが、私もこの意見に賛成だ。「酒屋が何を言う。自分の首を絞めるぞ」と言われるかもしれないが、私は声を大

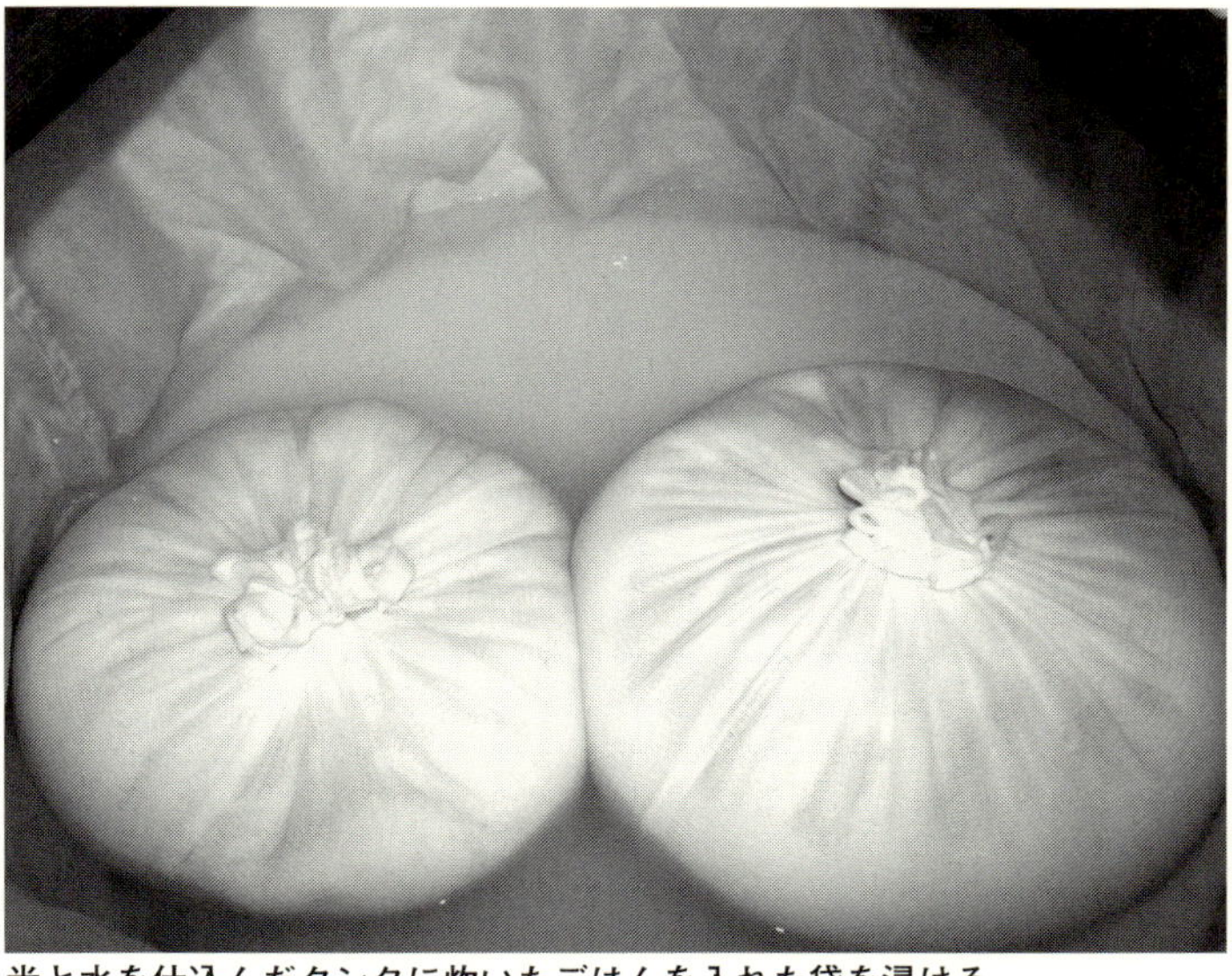

米と水を仕込んだタンクに炊いたごはんを入れた袋を浸ける。

『菩提酛』でのどぶろくの作り方

白米1升を炊き、
さます。

人肌にさめたら、
さらしの袋に入れ、
口をしばる。

水1斗と
白米9升を
タンクに入れ、
さらし袋を浸ける。

3日ほどして、酸っぱい香りがしてきたら袋を取り出し、生米の水をきって蒸す。

袋の中のごはんと麹1升を混ぜたものを上下で半量ずつ

一日1回袋をもみ、乳酸菌が働きやすい状態にする。

上のように仕込んだら布でふたをし、1~2週間おくが、一日に2回くらいかき混ぜること。

にして言いたい。「添加物だらけの酒なんか飲むのをやめて、自分で造ったどぶろくを飲んだほうがぜったい体にいい」と。それは、酒屋をやってきたからこそわかることなのだ。

二〇〇二年、行政構造改革によって、構造改革特別区域が設けられ、この区域内でのどぶろくの製造が許可されるようになった。通称「どぶろく特区」と呼ばれている。この区域では飲食店や民宿などで、その場で飲む分には販売も許されている。目的は地域振興ということだが、そこに住む一人一人の健康があってこそ、地域は活性化されるものなのだ。それには、どぶろくのような質のいい発酵食品を日々腸に送り込み、腸内環境を整えることのほうが先決ではないか。

家庭で造るどぶろくが、さまざまな病気の蔓延《まんえん》する日本を救う日が来ることを、今はただ願うばかりだ。

「よくなるために、悪くなる」の法則

人間の腸内環境が加速度的に悪くなってきたのと同時進行で、自然環境も社会環境も、そして家庭環境さえも悪化の一途をたどってきた。

一九六二年にレイチェル・カーソンが『沈黙の春』という本で、人間による環境破壊について最初に警告を発し、以来大勢の人々がそれを食い止めようと声をかぎりに叫んできた。けれどその願いもむなしく、環境汚染は進むばかりだった。なかでも最も深刻なのは、温暖化の問題だ。二酸化炭素の急激な排出によってもたらされた温暖化現象こそ、人間のエゴが引き起こしたとんでもない事態だと思う。

ニューオリンズの約八割を水没させた「カトリーナ」のような巨大なハリケーンの発生と地球温暖化との関係が、アメリカでは関心事となっているらしいが、日本で発生する台風も年々被害甚大になってきているではないか。海水温が上昇すれば、ハリケーンも台風も、発生率は増え、しかも巨大化していくのだ。

海水温の上昇は、海水の膨張を起こし、体積を増やす。氷河や陸氷が解け出せば、当然海面はさらに上昇する。その影響で南太平洋の島の住人らは移住を考えなければならないそうだ。はたして島の住人らが、いつ工場から煙をはき、渋滞するほど車を走らせ、クーラーのきいた部屋でテレビを見ていたのだろうか。

温暖化と並んで、大きな問題とされているものに酸性雨がある。工場や車から出た排気ガスが空中で酸性物質となり、それが雨に溶け込んだものが酸性雨だ。森林は枯れ、湖沼は魚の棲めない水になる。私たちが糧とする米や野菜を育む田畑にも年中酸性雨は降り注いでいる。

　私たちが長いあいだ当たり前にしてきた自然から離れた生き方、暮らし方、考え方というものが、地球環境の悪化を進めてきた原因なのだ。集団のエゴによって、地球を腐敗方向にもっていってしまったということだ。

　同様に自然を置き去りにしたことが原因で、社会環境のなかでも人間は腐敗を進行させてきた。競争、競争と、生き馬の目を抜くごとく、人よりも先に、奪った者勝ち、とった者勝ちの世界だ。これが社会の大きな腐敗の原因を作ってきた。精神公害という形でだ。そしてそれが、いじめ、暴力、犯罪へとつながっていった。

　さらに言えば、それぞれの家庭環境もずいぶん腐らせてしまった家が多いのではないだろうか。腐敗が進むエネルギーが家庭に充満すれば、家の中には冷たい風が吹き荒れる。夫婦の関係、親子の関係がますますうまくいかなくなって、互いに強いストレスを感じるようになる。そうなれば、口もきかない、顔も見ない、ともすると「殺したいほど憎い存在」にまでなってしまう。恐ろしいことに、それを行動に移してしまう人間だって最近はたくさんいるのだ。

　政治の世界も警察も、企業も学校も病院も、地球上のどこを見ても腐敗、腐敗、……。でも私は、あきらめているわけではない。自然環境も、社会環境も、家庭環境も、今まで腐敗の選択をしてきてしまっただけだ。要は、これからの選択を発酵の方向にもっていけばいい。

腸を腐らせてしまった自分が、発酵の選択をし、蘇生したじゃないか。酒の内容も経営状態もすっかり腐らせてしまったうちの蔵も、発酵型に路線を変えたらなにもかもがうまく運ぶようになったのだ。

人間が良質な発酵食品を食べて、腸内環境を整えれば健康になっていくように、どんな問題も発酵によって腐敗は食い止められるのだ。腐敗型から発酵型へ、変化させていけばいい。

そして、「よくなるために、悪くなる」という法則があることも、しっかり見ていてほしい。一見腐敗した状態も、発酵のために必要だったのだと思えるときが来るからだ。

だから、今の腐敗を「よかったね」と受け入れ、「すべてはいいことなのだ」と思い切れれば、すぐにでも発酵の道はたどることができる。それからあとは、どんどん発酵が進んでいく。なにもかもがよくなっていく。自然も、社会も、家庭環境も……。

第17話 みんなが豊かになる

発酵をテーマに町おこし

私が住む千葉県香取郡神崎町は、千葉県北端の真ん中あたりに位置する東西、南北いずれも六キロメートル前後の小さな町だ。二〇〇七年五月現在、人口は六、七三六人で、世帯数は二、二二八である。

良質の米が豊富にとれ、醸造に適した地下水をたたえたこの地には、江戸時代から酒蔵が立ち並び、しのぎをけずる時代があった。その伝統が今も伝えられているとはいえ、蔵の数もひとつ消え、ふたつ消え……。年々なんともさみしい状況になっていった。

このような町は日本中にたくさんあるのだろうが、地域復興というと、小さい町と町を合併して財政負担を少なくするといった方向に行きがちだ。でもそうではなくて、それぞれの町の持ち味を活かすようなやり方ができたら、そのほうがずっといいように思う。

我々の小さな町であっても、「発酵すれば、腐らない」の法則はあてはまるはずだ。町をまるごと発酵させるようなこと、それを見つけていけばいいのだ。

ということで始めたのが、発酵食品を町の有志で作るということだった。無農薬栽培の大豆でみそを作ったり、しょうゆを作ったり、納豆作りなどもする。

これらの土台となる農業についても、発酵をテーマにして盛んに議論がなされる。農薬や化学肥料を使った農業は、生態系を狂わすことがはっきりとしていて、そこでできた作物には生命力がない。収穫も一時的にはなんとかなるが、永続的な収穫にはつながらない。これこそ、腐敗型の農法といえはしないか。

生命力のある農産物を原料に、町のみんなでみそを造ったり、納豆を造ったりするのは、実に楽しい作業だ。こういったことをウキウキ、ワクワクしながらやっていけば、町おこしも村おこしもほとんどできたようなものだと思う。「楽しんじゃえば、ひとりでに町おこし！」。そう気がつけば、どんな町も村も活気づいてくるに違いない。

基本は、みんなで楽しむということ、みんなで幸せになっていく道を探していくことだ。これが発酵型である。反対に個人の幸せだけを追いかけていると、まわりのことは考えないし、他人には無関心になってしまう。自分だけにとらわれて、まわりはどうでもよくなってしまうのが、腐敗型だ。

前に述べた宮沢賢治の「世界がぜんたい幸福にならないうちは、個人の幸福はありえない」という言葉を思いだそう。そしてまずは自分が住む町全体で、幸福に発酵していく道を模索していこう。

幸福の秘訣は発酵にあり

「世界がぜんたい幸福に……」。ならばその幸福は、いったいどうやったら得られるのだろう？

造り酒屋の私が私流に考えたのは、あらゆる場面でその場を発酵させていくような選択をしていくこと、つまり発酵場を作っていけばいいのではないかということだ。

こっちに行けば、発酵していく、幸せになる。反対に行けば腐敗していく、不幸になっていく。難しいことをいわなくたって、シンプルにいろいろな問題を解決していく方法がここにある。

『醍醐のしずく』を搾っているところ。

人間は、一瞬一瞬でなにかしらの選択をして生きている。歩いていたって右へ行こうか、左へ行こうか、速く歩こうか、遅く歩こうか、しゃんとして歩こうか、ダラダラ歩こうかなどなど。自分でははっきりと「選ぶ」と認識していなくても、一日中なにかを選択して行動している。そして、それがさまざまな結果をもたらしているのだ。

それらの選択のなかでも、特にはっきりと結果が出てくるのは、私たちが発する「言葉」ではないだろうか。いい言葉が発せられれば、そこは発酵場になっていく。悪い言葉が発せられれば、そこは腐敗場になる。この感覚は、だれにでもわかるのではなかろうか。いやな言葉を聞いて、気持ちがよくなる人はいないであろうから。「こんちくしょう」は、いつだって腐敗場を作ってきた。家庭でも学校でも会社でも、ひいては政治、経済、国家間においても。「こんちくしょう」から発せられたエネルギーは、すべてを腐敗の方向に導いてきた。

それは、私たちのなかに「自動お作り装置」というものがあるからなのだ。マイナスの言葉が潜在意識をくもらせ、ゴミをため込んでいく。そしていつか、それはマイナスの現象になって現れる。悪い言葉は、すなわち悪い現象を作り出すのだ。「こんちくしょう」が腐敗場を作るのに対し、「ありがとうございます」は、発酵場を作る。幸福につながっていく。だから、嫌なことがあっても、プラスの言葉を並べていたらいいのだ。そうすればどんな腐敗場だって、どんどん変わっていく。『新約聖書』「ヨハネ伝」には、「はじめにことばありき。ことばは神とともにあり。ことばは神であった」とある。『旧約聖書』の「創世記」においては、ひとつひとつ言葉で名づけていくことをくり返して、世界を作りたもうたことが記されている。つまり世界のすべては、言葉から始まったのだ。

言葉によって、幸福にも不幸にもなる。運命が決まるといってもいい。そう思っている。

発酵場の選択こそ宇宙の繁栄道

いろんな問題を解決する鍵は、発酵にある。人々が発酵場を選択していけば、どんな場所でも、ひとりでに発酵していって、なにもかもがうまくまわっていく。それが宇宙の法則ではないか。

物理的には炭を使って場を変えていくという方法もあるが、基本的には、人間の意識が発酵場を作っていくのだと思う。循環、共生、調和のあるところ、そこに発酵場ができていくのだ。

　循環している世界は、変化の世界、無常の世界だ。人の物をとったり、奪ったり、自分ばかりため込むような世界ではない。手放すところから、循環が始まる。「ギブ・アンド・ギブ」でいい。空っぽになれば、おのずと入ってくるのだから、それで安心していればいい。

　共生とは、競争しない、争わない、仲よしの世界のことだ。「負けちゃう、損しちゃう、謝っちゃう」、むしろ積極的にこういう姿勢にしていく。肩の力をフッと抜き、がんばるのをやめてみたとき、みんなとつながれることに気づくはずだ。

　それこそが、調和の世界だ。自然界は、みなそのようにできているというのに、人間ばかりが調和を乱す。一人だけ前に出ようとしたり、他人を蹴落とそうとしたり。みんなで手をつなげば、その輪の中は酒蔵のタンクの中のようにブクブクと発酵していき、そのうちにいい香りがしてくるというのに……。

　この発酵場の選択は、宇宙の繁栄道なのだと確信している。これこそ、生かされる道である。うちみたいな今にもつぶれそうな酒蔵がもちなおし、いつのまにやら創業以来三三〇年というところまでやってこられたのがなによりの証拠だ。

　今日本で上場している企業は、一〇〇年前とはすっかり入れ替わっている。会社というのは、一〇年で九割以上が廃業したり、倒産に追い込まれているというデータがある。そして三〇年たてば、九九%の会社がなくなっているそうだ。そう考えれば、三三〇年続けてこられたのは奇跡といってもいいくらいだ。

それは、すっかり腐らせてしまったこの会社を、発酵場の選択によって軌道修正することができたおかげだと思っている。どん底で、そのことに気づかせてもらえたおかげなのだ。

今の時代、会社の経営がうまくいっていなかったり、家計が破綻して困っている人は大勢いるだろう。消費者金融のコマーシャルも、以前は「貸します、貸します」だったのが、少し前から返済を促したり、借り過ぎを警告したりするものに変わってきている。

仕事上の人間関係で悩んでいる人もたくさんいるだろう。親子関係や、夫婦関係が深刻な事態になっている人も多いだろう。生きていくことそのものが、苦しくなっている人も。

でもみんな、今すぐに発酵場を選択すればいいのだ。そういう人たちは、どこかで腐敗場の選択をしているはずなのだから。意識を変えれば、発酵場を作っていけるのだ。自分一人が決断すればいいだけだ。

第18話 発酵していくと幸せになる

男性は腐敗場に身を置くことが多い

「負けてはならぬ、勝たねばならぬ」とマインドコントロールされた人間は、競争だけの人生を歩むことになる。けれど、争えばいつかは負ける。どこまでも勝っていく人間なんて、いるわけがない。あげくの果て、経済的に破綻してしまった人々は増える一方じゃないか。

警察庁の発表によると、平成一七年の自殺者は三万二、五五二人もいて、その七二・三％が男性だそうだ。自殺理由は「健康問題」が四六・一％と最も多いのだが、近年特に多くなっているのが「経済生活問題」で、二三・八％にもなっている。男は発酵しにくいのだろうか。

私もそうだったように、男性は自ら腐敗場を選択してしまうことが多いのではないだろうか。男性は、女性より競争社会に巻き込まれることが多い。競争のなかで身をすり減らし、腐敗場の選択によって自殺にまで追い込まれる。

腐敗に向かった人々は、あきらめてしまっているのかもしれない。もう自分は発酵できないのだと。

でも、そうではないのだ。競争社会に巻き込まれてしまっただけ、自然のリズムからはずれたために腐ってしまったただけの話なのだ。自然と調和し、本来の自分を取り戻せば、発酵はまた始まる。本当は、大丈夫なのだ。

自然のなかに身を寄せていれば、だまっていても発酵してくる。

そうだ、それを体感できる場所を作ろう。「腐敗した人は、だれでもいらっしゃい」という場所を。そんなふうに考えて、福島県と宮城県の県境の山のなかに、山小屋を建てた。それは、いろいろな人に協力してもらって建てられたものだ。

山小屋の近くに畑や田んぼも借りて、蔵からも人が行って耕作しているが、ここでは糞尿をためて肥料にしている。これが三年もおいておくと、色も臭いもなくなるからおもしろい。実際飲んだこともあるが、発酵が極まると、透明でまったく無味無臭だ。

自然と一体になることを感じるための山小屋は、「一味学舎《いちみがくしゃ》」と名付けた。この「味」は何かというと、海水の味、塩の味のことだ。川にはいろいろな川があって、大きな川もあれば、ちょろちょろ流れる川もある。どぶ川みたいなのもあれば、清流もある。

そんなさまざまな川が海に流れていくのだが、それぞれの川にはそれぞれの持ち味がありながら、やがてひとつの味となり、海の味となって調和していく。

それは、AさんはAさん、BさんはBさん、CさんはCさんで、それぞれ持ち味があるけれど、本質的には同じなのだよということ、つながっているのだということを示している。「一味」とは仏教用語で、分離感がない、不二、つまり二つではないという考え方なのだ。

「一味学舎」は、今のところ本格的に稼働していないが、将来的には「そこに行ったら、みんな発酵して、本来の自分に戻れる」といった場所にしていきたいと考えている。

御酒ひびき＝うれしき・楽しき・ありがたき

今とりあえず自然のなかに行けない人も、発酵できないとがっかりしなくてもいい。どこにいたって、発酵していく手だてはあるものだ。それは、発酵の名人微生物と響き合っていくこと、微生物たちをお手本にしていくことである。そうすれば、私たちの人生もブクブクと発酵していくこと間違いなしだ。

微生物と響き合っていくとはどういうことなのかと考えたとき、ヒントになるものとして、「御酒《みき》ひびき」というものをまとめてみた。御酒というのは、「うれしき」「楽しき」「ありがたき」の三つの要素に分けられる。

「うれしき」は、「楽しき」と同じように思うけれど、そうではなくて、自分以外の人に喜びを与えるものである。だから、「うれしき」の一番にくるのが、「相手に喜びと満足」を、ということになる。これは、己を忘れて他を利する「忘己利他《もうこりた》」という生き方、ブッダの言うところの菩薩行の捉え方だ。

菩薩行とは、人さまのためにつくくし、行を積むことをいうのだが、自分は「商いは菩薩行だ」と思っている。いや商いだけでなく、人間はみな菩薩行がいいと思うのだ。実際は、自分が困らないように、自分の都合で何でもやる人がなんと多いこ

御《み》酒《き》ひびき

発酵場の選択

楽しき

楽しく働く
生命をよりよく生かす
私利私欲を捨てる
お金も大切
適度に質素

うれしき

相手に喜びと満足
みんなが豊かになる
無条件に与える。尽くす
損をしても徳を積む
多種多様な力
仲よくする
生命の結び合い
徹底していく
変化する
調和と愛

ありがたき

素人の感性
掟、常識を破る
自分の持ち駒、持ち味を使う
順風に乗る
自己流の生き方

無限に感謝する
神意に添う
自然に学ぶ
素直に観る
プラスの言葉
勇気、決断、実行
信用、信頼
トラブルは自分の責任
決断は自分一人
謙虚

とか。それは、腐敗場の選択をしているということだ。相手に満足を与えない、うれしくない生き方だ。

「うれしき」の二番目は、「みんなが豊かになる」。そうなって初めて自分も豊かになるのだ。自分だけがよくなることが豊かになることではないし、それは決してうれしいわけじゃないということはだれだってわかっている。でも腐敗社会のなかで、いつのまにか「自分だけが」という生き方になってしまっている。腸を腐らせる前の自分がそうだったように。みんなが豊かになれば、自分も豊かになるということを気づかなくさせられてしまっているのだ。

三番目は、「無条件に与える。尽くす」。要するに、宇宙エネルギーを取り込んでいくには、からっぽになるということだ。これが発酵につながり、自分の喜びにつながる。

四番目は、「損をしても徳を積む」。損得の尺度ではかると損をしてしまうことでも、そういうことは相手を喜ばすこととなり、イコール徳を積むことになる。自分が得することばかり追い求める、エゴの姿勢とはまったく逆だ。原料を三倍にしてまで無農薬米にこだわった酒造りは、それを目指したことになるが、以来このような生き方が、おもしろいと思うようになった。

五番目は、「多種多様な力」。それは、一人一人、一つ一つ、一匹一匹、これらの力が多ければ多いほど、たくさんの異なったものが加われば加わるほど、大きな力になっていくことを表している。多種多様な微生物が働いて、おいしくて健康にいい酒ができていく様から教えられたことだ。この逆は、排除したり、純粋培養したりする行為だ。人間関係でいえば、「あの野郎、この野郎」だったり、「あの人は苦手、この人も苦手」だったり。その苦手をも取り込むのが、実はすごく大事なことなのだ。

これが、六番目の「仲よくする」につながっていく。これこそ、微生物の

酒の分析も蔵人の大切な仕事。

共生の世界がいちばんのお手本になる。助け合い、支え合う、相互扶助の世界、それぞれの持ち味を生かした仲よしの世界なのだ。

そして「うれしき」の七番目は、「生命の結び合い」である。つきあっていて得する相手とならつながるが、損をしてしまいそうな相手、苦手な相手に対しては無関心を装うといったことが、だれにでもありはしないか。マザー・テレサは、「愛の反対は憎しみではなくて、無関心だ」と言っているが、無関心はエネルギーを取り込むことを遮断してしまう方法だ。

生命《いのち》の結び合いというのは、お金のつながりとはまったく関係のないところにある。お金にならない人とはつきあわなかったり、ひどい態度をとったりしていることは、腐敗の選択をしていることなのだ。

八番目は、「徹底していく」。これは、自分の信じた、大好きな道を徹底していくということだ。そのことに、自分の生命《いのち》をささげていくということなのだ。酒造りでいえば、酒は無添加だけど、原料の米には農薬を使うというのは、ちぐはぐな行為だ。これを徹底していくというのが、相手の喜びに通じていく。

ここで注意したいのは、自分以外には徹底を強いたりしないことだ。人には「まあいいや、何でもいいですよ」と対応し、自分がとっていく道は徹底していくのがいい。

九番目は、「変化する」。発酵とは変化することであり、変化しなくなるということは、発酵しなくなる、すなわち腐敗するということである。変化というのは非常に大きなテーマだが、喜びのほうへ変化していくことを目指したいものだ。

「うれしき」の最後一〇番目は、「調和と愛」である。まさに、一つになっていくことを表している言葉だ。それは、好き嫌いの感情を越えた世界であり、許しっぱなしの世界である。

この逆が、不調和とエゴである。こうなると腐敗してしまい、うれしくないことになっていく。競争や対立によって調和が乱れ、バランスを崩したとき、物が壊れたり、汚れたり、腐ったりという現象が出てくる。

さまざまな川の持ち味が、海まで出たらひとつになった「一味」という発想のように、私たちも調和と愛を体感し、日々「うれしき」を感じて生きていけるはずだ。

御酒ひびきは、発酵場の選択のヒント

御酒ひびきの二つ目「楽しき」のトップは、「楽しく働く」。一生に一度の人生なのだから、楽しくやればいいと思うのだが、心のゴミを出しながら働いている人が

本当に多い。ゴミとは、愚痴、文句、悪口、不平不満のことだ。

商売なら、楽しく働いているのをお見せするのが、「お店」なのだ。でも実際は、楽しく働いている人が少なくて、「お店」が「お見せ」の役割を果たしていない。要するに、みんなお金のために働いているのだ。

私も社員に楽しく働ける場を提供したいと思ってきたのだが、少しずつそれはかなっているかもしれない。楽しく働いているところに、宇宙から大きなエネルギーがいただける。それは、蔵にいての実感でもある。

二番目は、「生命《いのち》をよりよく生かす」だ。微生物は、自分の生命を燃焼させて働き、バトンタッチをしていくと前に書いたが、そんな風に生命をよりよく生かせば発酵につながっていく。

人間はどうだろう。サラリーのために、嫌なことを我慢しながら無駄に生きてはいないだろうか。そうやって生きていくことが、腐敗につながっていくということに気づかずに。

三番目は、「私利私欲を捨てる」。本当の夢や希望というのは、私利私欲を捨てたときに初めてかなえられる。欲ばっているときは、決してうまくいかないものだ。これは、自分自身で体験してきた。造り酒屋は傾き、居酒屋もそば屋もダメだった。

エゴのはびこるこの現代において、私利私欲を捨てることがいかに大切か……。

四番目は、「お金も大切」。これは「お金が大切」とは、大きく違う。お金が大切で、心より物なのだ、勝ち組がいいんだよというのとはまったく違うのだ。

逆に精神世界にはまってお金のことを無視してしまう人がたまにいるが、お金を使ってこの世で暮らしなさいよ、ということには意味があると思う。お金との関わりのなかで、どう生きていくかということなのだ。無駄に使ったり、派手な使い方をするのもいいけれど、それはいつしか腐敗につながっていくだろう。

楽しく暮らしていくには、「お金を無駄にしないで、邪険にしないで。感謝しないと逃げていくよ」ということだ。だから、お金も大切に。

そして五番目は、「適度に質素」。お金を大切にして、質素なのはいいけれど、行き過ぎてしまう人がいる。そこには我慢があるだろうし、当然我慢には限度というものがある。本人がそういうところを消化できていなければ、必ず爆発してしまう。

だから、質素もほどほどに。

「楽しき」の六番目は、「素人の感性」だ。ある分野の専門家のなかには、資格をとるため、自分を売るためといったことを目的として、とても感性を疑われるような人がいることがある。酒造業界でも、酒造りの専門家が酒をダメにしてきたのだ。

米を削って削って、生命からほど遠いものにしてしまったり、アルコールを添加して端麗な味を作ったり……。

自分たちのように他業界から入ってきた者のほうが、酒を甦らせるチャンスを作ったり、素人の発想で切り口を見つけたり、ということがありはしないか。専門家の知識は、つきつめていくうちにだんだん枝葉になっていきがちなので、それはそれで生かし、細かいところはわからないけれど本質を見失わないような素人の感性を大事にしていったら、うまくいくのではないだろうか。

そこで七番目は、「掟、常識を破る」。ここでいう掟や常識というのは、世間が作ったものだけではなく、自分のなかに作ってしまっている枠みたいなものも含まれる。そのなかで不自由に生きている人が、ほとんどではないかと思うのだ。

酒造業界では、「安い米、人手をかけない」「米を研けば研くほど、いい酒になる」というのが常識だったが、それを破って高い無農薬米、それも玄米を使い、人手をかけて玄米酒を作ってみたら開けてしまった。それがまた楽しい現象を引き起こしていっている。飲んだ人が、元気になってきたりして。要は、自由な発想をしたらいいんだよ、ということなのだ。

八番目は、「自分の持ち駒、持ち味を使う」。つまり、自分のできることを最大限に生かそうよ、ということだ。それは自分の長所を伸ばすことで、欠点を是正しようとするのとは違う。人は欠点を是正して、自分が持っていないものをなんとか持とうとする。でも、そんなことしないで、すでに持っているものを生かせばいいと思う。自分が持っていないものは、人が持っているからいいよってね。

さて九番目は、「順風に乗る」。逆風、向かい風のなかで努力したって、体を消耗するだけで、一生懸命進んでも一向に進まない。そういうときは、無理しないほうがいい。これは、造り酒屋がにっちもさっちもいかないときに、いくらもがいたってどうにもならず、遂には体を壊したおかげで気づかせてもらったことだ。

順風に乗るというのは、追い風に乗ったほうがいいよということ。「時」が来るから、そのときに順風に乗ればスイスイいくというわけだ。

最後は、「自己流の生き方」だ。第16話で、「真面目」という言葉を書いたが、まさにこの生き方である。自分の面目に正直に生きることだ。他と比較するでもなく、自分の好きな生き方をするのだ。本当の自分らしく、酒蔵の微生物たちのように生きていけばいいのだ。

そうすれば、「楽しき」になってきて、自分もまわりもどんどん発酵していく。

「御酒ひびき」の三つ目は、「ありがたき」。そのトップにくるのは、「無限に感謝する」である。あることを当たり前と思うか、それとも感謝するか、空気だって水だって、今日一日生きていることだって。

無限に感謝というのは、時間も空間も限りなく、どこまでも、何にでも感謝するということで、これが究極の発酵へ向かう方法だと思う。だから、無限に感謝していると、トラブらない。理屈はわからないが、たぶん感謝は宇宙エネルギーを取り込む方法なのだと思う。だから問題が起こらなくなるのではないか。

まわりを悪者にして感謝することを忘れていた頃は、いいことなどめぐってこなかった。悪いほうへ、悪いほうへと、何事も転がっていった。感謝することを始めてからは、よいめぐりになってきた。どんどん楽しいことが起こってきた。だから、感謝の大切さは、自分がいちばん感じている。

二番目は、「神意に添う」。神意とは、宇宙意識といってもいい。宇宙意識と一体化したときに、「ありがたいな、幸せだな」という喜びがわいてくる。ちょっと理解しにくいかもしれないが、その反対を考えるとわかるだろう。自分だけ、お金だけ、目先だけというエゴ的な生き方に沿ってしまうと、宇宙意識と一体化しない。そうして、悩みや苦しみや災いの種を作ることになるのだ。

神意に沿うということは、神様のお手伝いをしているという意識なのだが、神様とはこの宇宙を作った意思だと認識すれば、お手伝いさせてもらうことが非常にありがたく思える。そして本当の喜び、本当の幸せにつながっていく。

自分が神様の使いとも天使とも思っている微生物とともに、みなさんのお役に立つ酒を造らせてもらうことも、神様のお手伝いをしていることになっていれば、それはこの上もなくありがたいことだ。

三番目は、「自然に学ぶ」。どうも今の学問は自然に逆らったり、見えないものを無視したりしている気がする。知識を詰め込むのではなくて、自然はどうなっているのかと見ることが、人間の生き方にヒントを与えてくれるのではないかと思う。自分の場合は、酒蔵の微生物たちの自然の様に教えられた。

自然界の生き物はみなそれぞれの役割を果たし、天寿をまっとうしている。生きているあいだに精神病にかかる野生動物は、皆無である。人間に飼われ、枠にはめられることによって、問題が生じるのだ。自然のなかで生きていれば、薬を飲んだり、定期検診なんてこともない。具合が悪くなれば、何も食べずに回復するのをただじっと待つ。自然の治癒力を知っているのだろう。

自然のエネルギーや恵みを受け、自然の親切に触れていると、ありがたいなという気持ちがわいてくるものである。

この自然の姿をありのまま見ていくということが、四番目の「素直に見る」につながる。ついつい人間というのは、素直に見ないで自分の都合のいいように見たり、色眼鏡で見たりする。素直になれないというのは、自分が裸になれないということだ。物事をどう見るかによって、自分の行動が決まるのだから、目の前に起こることのありのままを見ていくほうがいい。

五番目は、「プラスの言葉」だ。たとえば酒造りの場合、いろんな物理的な条件を一緒にしても、造る人によって、また同じ人でもそのときの感情によって、できる酒が変わってくる。それは、そこに発生する物に魂が宿るからだ。

言葉でも、同じことがいえる。プラスの言葉を投げかければ、プラスの現象が起こってくる。言葉も思いも、よい方向で念じたことがよい形になっていくのだ。不平不満、ぐち、文句のようなマイナスの言葉や思いが込められてできたものは、プラスの言葉や思いが込められてできたものとは、ぜんぜん違うものになるはずだ。

速醸造りをしていた頃の酒には、自分の文句やぐち、不平不満、怒りの言葉を、さんざんあびせかけてきた。でも今は、酒蔵に行って「ありがとうございます」と言うのが、社長としてのいちばん大事な仕事だと思っている。

「ありがたき」の六番目は、「勇気、決断、実行」。これは、自分の信じる大好きなことを、「これだ！」と思ったらやってごらんということだ。「うれしき、楽しき、ありがたき」を、勇気をもって決断し、実行できるかどうかなのだ。頭のなかで理解することではなく、素直に実行するかどうか、やるかやらないかが鍵になる。

これを「ありがたき」に入れたのは、本当に感謝したら勇気がわいてくるからだ。それが決断につながっていく。あとは実行するかどうかなのだ。

七番目は「信用、信頼」だ。私の言う「お役に立ちます」というのは、決してポーズではない。本当にそれを腹の底から思って実践したときに、確かな信用が生まれる。これが生かされる道だと思っているし、商売においても大切なところだと思う。「値段じゃない。お前のところで買いたいんだよ。お前の商品がいいんだよ」と相手に思ってもらえるような信用、信頼があったら、ひとりでに商売は成り立っていく。これがないために、みな崩れてしまうのだ。

大手のような資金力がないからとあきらめてしまう人が多いけれど、本当は自分が信頼をなくした結果のことであって、自分に信用がなかったのだと自覚すべきだ。

だから八番目の「トラブルは自分の責任」ということがあがってくる。人を責めたり、批判したり、裁くのではなく、トラブル、問題は自分の姿勢にあると気づくことだ。そうすれば、そこに大きな光がやってくる。かつての自分のように「あいつのせい、こいつのせい」と人の責任にし、前述のまさに「ゴミ」をどんどん吹き上がらせておくと、光も当たってこないというものだ。

九番目は、「決断は自分一人」。何かことを起こそうとしたとき、合議制でやったら、とんでもないことになる。多数決というのは、一見よさそうだけれど、実は危険をはらんでいるのだ。人に下駄を預けてしまうことになるし、責任を回避する手段になることもあるからだ。だから、自分の信じる大好きなことを、一人で決断してやっていくということが非常に大事なのだ。

もちろん好き勝手な決断では、何事も発酵していかない。欲ボケの決断ではなく、感謝の決断なら発酵していく。恩返ししていきたいという決断といってもいい。

自然酒を造るのも、発芽玄米酒を造るのも、自分が一人で決めたことだ。社員に相談していたら、いつまでたっても商品化にはこぎつけられなかった。反対する要素は、いくらでもあったからだ。

自分一人がやっていかなければならないという思いからの決断は、みんなの意見と足して二で割ったような決断より、ずっと強いものになる。これは、家庭でも社会でも同じことだ。

「ありがたき」のラストは、「謙虚」である。謙虚になれる人には、感謝がひとりでにわきおこってくる。自然に感謝という意識が出ている人に、高慢な人はいない。そういう人に、おごり高ぶっている人はいない。

そうやって感謝一筋、真心で生きていくと、感謝は光となっていき、「ありがたき」という光が、まわりを明るく照らし出していく。この光が、発酵につながっていく。そして、さらなる発酵を生むのだ。

第19話 これからは、いきいきわくわく

微生物から学んだことを伝えたい

「うれしき、楽しき、ありがたき」の「御酒《みき》ひびき」は、これからの時代をリードし、商売の鉄則になるだろう。人を蹴落としてでも儲けよう、だれよりも上に行こうといった商売ではなく、人がうれしいと思うこと、自分が楽しいと思うこと、ありがたいと思って実行できることをしていく商売のほうが絶対いい。そうすれば、自分もまわりも発酵していく。

このやり方、つまり『発酵商法』を、最近は近所で商売をする青年たちに伝えている。しょうゆ屋の青年や、油屋の青年など、家業を継いだ若者たちに。どこの店も、今までのやり方ではどうにもまわっていかないのだ。だから相談ごとには、真心をもって対応していきたいと思っている。それぞれがうまく発酵していくように、誠心誠意手伝っていきたい。

微生物から学んだことを伝えられる機会として、個人個人に伝えるだけでなく、蔵見学という方法もとっている。そして毎年いろいろな人がうちの蔵に訪れてくれる。蔵見学は、酒米の洗い場から始まり、次の段階の大きな蒸し器、そして蒸米《むしまい》を広げてさましているところを経たら、室《むろ》に移る。

どの面の壁の内側にも炭が埋められている室に入ると、だれもが「気持ちいい」と言ってくれる。室温が三〇度に保たれているので、普通なら暑苦しいと思うのだが、マイナスイオン効果のおかげで心地よい場が作られている。

そして酒母室へ。「ここで微生物たちがバトンタッチをしながら働いてくれて、いのちの宿ったお酒ができるんです」「いろんな菌が参加してくれたほうが、より生命力のあるお酒になります」。こんな話に、耳を傾けてくれる人たちが大勢いる。

「みなさんのおなかの中も、毎日毎日発酵しているんです。発酵していると腐らない。ぬか床と同じですよ」

昔の人は、そんな腸の状態をわかっていたのだろう。「腹」という字を使った言葉を見ると、それがわかる。怒りを表すのは、「腹が立つ」。イライラすれば、「腹の虫が収まらない」。意地が悪いとか、汚い心を表すのには、「腹黒い」。逆にバランスがいい状態を、「あの人は腹の出来た人だ」とか「腹の座った人だ」などと言う。

どうもおなかの中の腸の様子というのは、私たちの心の状態を表しているようだ。腸で働いてくれている微生物の喜びようや悲しみよう、姿によって、発酵したり腐敗したりするということなのだろう。

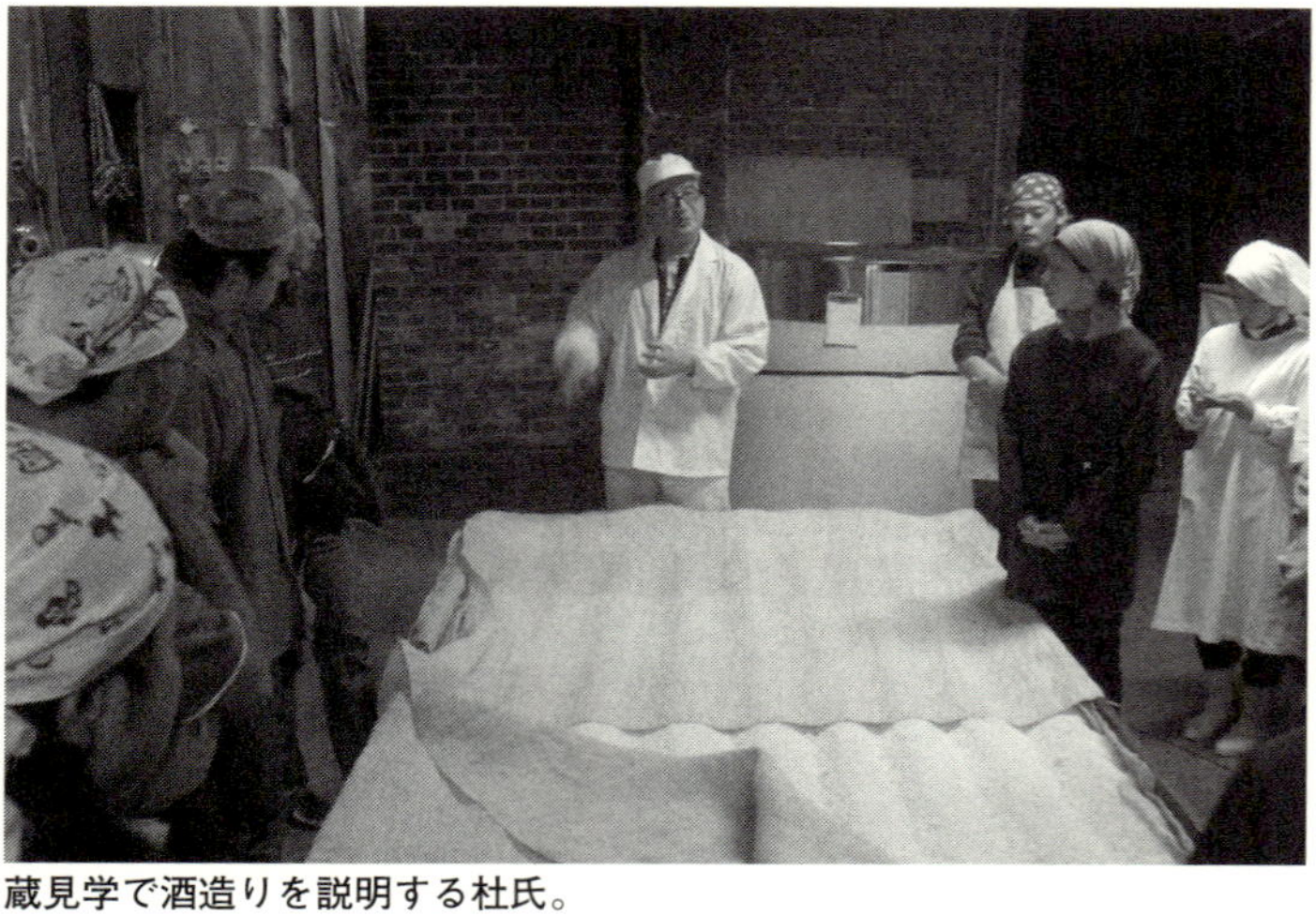

蔵見学で酒造りを説明する杜氏。

蔵見学に来る人たちに話すのは、ただ酒造りの工程だけではない。微生物の話、発酵の話、なによりこれからの時代は、微生物との響き合いが生きていく上での鍵になるということを、一人でも多くの人に伝えていきたいと思っている。

微生物をお手本にして暮らしていけば、未来は明るいということを。

二一世紀は病気から解放されて、みんな幸せ

これからのことを考えるとき、「考える」という言葉の語源から、まさに考えてみた。第9話で触れた「カタカムナ文献」によれば、その語源は「カムカエル」だそうだ。つまり「考える＝カムカエル＝神に還る」ということなのだ。つねづね微生物は神様の使いだよ、天使だよと私は言っているのだが、神様の使いである微生物と響き合うことを考えることによって、私たちは何ごとにおいても発酵していくのだと思う。

それならば、微生物とどう響き合っていくか。それが「御酒《みき》ひびき」、「うれしき、楽しき、ありがたき」の実践というわけだ。そうやって微生物と響き合っていると、宇宙とも響き合いがなされていく。そして個人も家庭も社会も発酵していき、宇宙

のエネルギーが限りなく入ってくるのだ。

ここでいう宇宙エネルギーとは、「気」といってもいいかもしれない。私は中国気功研究所に二度行ったことがあるが、そこで難病奇病から救われる様を見、「気」という目に見えないものの力を感じてきた。実際一緒に行った友人も、高速道路での事故で再起不能となっていた体が、そこの気功で通常の生活ができるまでになった人であった。

このような宇宙エネルギーが入ってくると、「カタカムナ文献」の言うところの電子が入ってくる。「カタカムナ」では、病気は電子の不足と考える。体から電子が失われると体を作っている電子の構成状態が不安定になるので、不調になっていくという。これが体の酸化現象である。

だから宇宙エネルギーをとり入れることで電子を補ってやれば、体は元気になってくるというわけだ。そんなことがわかってくると、二一世紀は病気もなくなってくるのではないかと希望がわいてくる。原因がわかってしまえば、病気もなくなって、幸福に向かうはずだ。

すでにそのあたりに気づいている人が、大勢出てきている。そしてそのような人たちは、みんないきいきわくわくしている。見ていると、「発酵しているな」と思う。

そうやって一人が発酵しだすと、次から次へと波動の法則によって、どんどんまわりへ伝染していくということが起こりだす。響き合いなのだから、まるで水に石を投げたら輪が拡大していくかのように広がっていくのだ。

こういうことは、なにも全員がわかる必要はない。一人わかっている人が、水にポンと石を投げれば、伝染していくのだから。そうやって自分一人が発酵しだしたら、家庭も発酵、社会も発酵、地球も発酵してしまうということになるのだ。

やがて「発酵すると腐らない」となって、「うれしき、楽しき、ありがたき」の世界が広がる。

何があっても「笑っちゃう」。どんなときでも「ありがとう」

微生物との響き合いの一つとして、具体的に私が毎日実行しているのは、一日一回トイレで微生物に感謝するということだ。

自分の便は食べ物のカスだと思っているかもしれないが、半分以上が役割を果たした菌の死骸や菌そのものである。私たちが食べた物を一〇〇兆の微生物が命がけで分解して、血や肉や、エネルギーに変えてくれた。と同時に微生物は、自分の中のゴミを出してくれた。その死骸が、便に入っているのだ。

だから便に対し、「いつもいつも、無限の無限のマイナスを消し続けてくださって、ありがとうございます」と私はとなえている。その人流でいいと思うけれど、こんなやり方もどうだろうか。

宮沢賢治が書いた『アメニモマケズ』にも、発酵の秘訣、微生物との響き合いの秘訣がいくつか隠されているように思う。

「欲ハナク　決シテイカラズ　イツモシヅカニワラッテイル」

「アラユルコトヲ　ジブンヲカンジョウニ入レズ」

「ミンナニデクノボートヨバレ　ホメラレモセズ　クニモサレズニ」

このように賢治がとらえたものと、「うれしき、楽しき、ありがたき」の実践はだぶるところがある。

そしてその実践の究極には、「笑っちゃう」があるのだ。これは、「何があっても笑っちゃう」ということである。いいことが起きたら笑っちゃうというなら普通だが、何があっても笑っちゃうのだから、これはちょっとむずかしい。

悲しいことがあっても、寂しいことがあっても、苦労しても悩んでも、問題が起きても笑っちゃう。これが笑えないから、みんなうれしくなくなってしまう。楽しくなくなってしまう。そして不安や恐怖が出てくるのだ。

ここで笑えないと、どうなるか。苦しみの体験やむなしさの体験がストレスとなってたまり、心のゴミとなる。それが怒りになったりもするわけで、こうなるとおなかの中は発酵の反対で、すっかり腐敗してしまう。そしていろいろな悪い現象が出てくる。怒りも恨みも、苦という形になって、いずれ必ず出てくる。こうやって、苦しいことを自分で作っているのだ。

人間は、自ら生まれ変わることができる。意識を変えることは、簡単にできるのだ。「何があっても笑っちゃう」という心境になれたら、何もかもがうれしいことになる。楽しいことになる。そして、ありがたいことになっていく。おもしろくても、おもしろくなくても笑っちゃえば、苦がなくなって、道が開けるのだ。

ではどうしたら笑えるのか。「おもしろくもないのに、笑えるかよ」と、確かにそうなのだが、これにはコツがある。うそでもいいから「ありがとうございます」と言うのだ。いやなことがあっても、腹が立っても、「ありがとうございます」と。

そうやって「ありがとうございます」と言っていれば、そのうち感謝することができてくる。あとから本当の「ありがとうございます」がついてくる。感謝、感謝の毎日になってくる。

一人一人がいつもニコニコ「ありがとうございます」と言っていれば、ブクブクと発酵している酒蔵のタンクの中のように、どんどんおいしくなっていく。すべてのことが、解決に向かっていく。幸福に向かっていく。

この『ニコニコ「ありがとうございます」』を、略して「ニコあり」と私は言っているが、「ニコあり」はまさに微生物のように生きる方法であり、これさえ実行していれば何がきたって大丈夫なのだ。

一に「ニコあり」
二に「ニコあり」
三、四がなくて、五に「ニコあり」

さあ、これでみんな、発酵だ！

おわりに

「だまされろ」にだまされて

父が亡くなる少し前、私に妙な言葉を言った。

「だまされろ」

家電販売の会社を手広く経営していた父の言った言葉だ。耳を疑った。「違うだろ、親父。『だまされるな』の間違いだろ」、そう私が言うと、「いや違う。『だまされろ』だ」と父は怒りだした。

あれから三〇年、父が最後に遺してくれた『だまされろ』を理解するための人生だったようにも思える。

自然酒造りに切り替えるときも、玄米で酒を造ろうとしたときも、どぶろくを復活させようと思ったときも、考えてみればだまされたつもりになってやってきた。そうでもなければ、不安で不安でしかたがなかっただろう。結局は、父の「だまされろ」にだまされて、ここまできたようなものだったのだ。

「喜んでいただいて、自分が楽しめる。この心が無限の幸せにつながる」。これも父の言葉だ。私もこの年になって、人は利他の菩薩行だとやっとわかってきた気がする。

人間は、他の生命に支えられて生きている。まわりのすべての生きとし生けるものに、どうしたら喜んでもらえるのか。どうやってご恩返しをしていくかなのだ。でもこれは、必ず一人一人に天から与えられた役目、使命があって、それに従っていきさえすればいい。

そして、現在も過去も未来も「いつでも素直に」「あくまで謙虚に」「すべてに感謝して」「ありのまま受け入れていく」という姿勢でさえいれば、あとは何があっても「ありがとうございます」と言うだけで、発酵していくのだ。

この本は、自分自身をとことん見つめ、振り返りながら、拙い体験をもとに、「どう生きたらいいか」を自分に言いきかせるために書きとめておいたものに、最近感じたことを書き加えてみた。

原稿をまとめるにあたっては、編集者の吉度日央里さん、小池信雄さんに大変お世話になった。また、カメラマンの本間日呂志さん、松澤亜希子さん、そして娘婿の優君には、蔵の中で素晴らしい写真を撮ってもらった。みなさんに、心より感謝申し上げたい。

最後に、みなさんが「うれしき、楽しき、ありがたき」で、人生を笑って暮らせるようお祈りして……。ありがとうございます。

二〇〇七年六月

寺田啓佐

寺田啓佐（てらだ・けいすけ）1948年〜2012年
自然酒「五人娘」、発芽玄米酒「むすひ」などの蔵元《寺田本家》23代目当主。
《寺田本家》千葉県香取郡神崎町神崎本宿1964
TEL 0478-72-2221 FAX0478-72-3828
http://teradahonke.co.jp/

発酵道

酒蔵の微生物が教えてくれた人間の生き方

著者 寺田啓佐

初版発行　2007年8月30日
17刷発行　2025年5月30日

発行　有限会社スタジオK
発行者　小池朝子
〒299-3241　千葉県大網白里市季美の森南2-37-7
電話（0475）51-1096（編集）
https://www.studio-k.co/

発売　河出書房新社
〒162-8544　東京都新宿区東五軒町2-13
電話（03）3404-1201（営業）
https://www.kawade.co.jp/

編集　吉度日央里
装幀　吉度天晴
題字・イラスト　寺田啓佐
写真（カバー）本間日呂志
（口絵）松澤亜希子
（本文）寺田優
版画　篠崎一彦
ハンコ制作　小畑恵
本文組版　ORYZA

印刷・製本　株式会社亨有堂印刷所

ISBN978-4-309-90745-1